OP EEN DWAALSPOOR

Van Ria van der Ven-Rijken verschenen eerder:

Ria van der Ven-Rijken

Op een dwaalspoor

VCL serie

ISBN 978 90 5977 374 5
NUR 344

© 2009 VCL-serie, Kampen
Omslagillustratie: Jack Staller
Omslagbelettering: Van Soelen, Zwaag

www.vclserie.nl
ISSN 0923-134X

1

Tessa van Vliet draaide haar auto de polderweg op. Een smalle geasfalteerde weg, met aan weerszijden een laag grind op vette kleigrond. Ze moest altijd uitkijken voor steenslag tegen haar auto wanneer tegenliggers passeerden en de wielen van haar auto in de berm kwamen. Rustig rijden was de beste remedie om problemen te voorkomen. In de verte zag ze haar ouderlijk huis opdoemen, een boerderij die de naam 'De wijde blik' droeg. Het agrarische bedrijf dat achter 'De wijde blik' lag, en waar haar vader altijd de scepter had gezwaaid, stond het laatste jaar onder Jacco's beheer. Jacco was haar vier jaar oudere broer, die samen met schoonzus Nicolien en hun twee zoontjes Job en Frankie van zes en vier jaar, in het naburige plaatsje Almkerk woonden. Haar knorrige vader Bertus van Vliet was voorlopig nog niet van plan te verhuizen en plaats te maken voor het gezin van Jacco, zijn opvolger. Vader hielp dagelijks nog mee in het bedrijf, maar had duidelijk gas terug moeten nemen toen hij vorig jaar last had gekregen van hartritmestoornissen. Dat was ook niet bevorderlijk geweest voor zijn humeur. Moeder Magda zat er tot op de huidige dag mee. Ze kon niet goed tegen zijn sikkeneurigheid en beklaagde zich regelmatig over vaders gemopper. Tessa trok zich er niet veel van aan. Vader was altijd al een eigenzinnige, wat in zichzelf gekeerde man geweest. Ze herinnerde zich nog als de dag van gisteren dat hij het absoluut oneens was geweest met haar beroepskeuze. Ze was tien jaar geleden naar de politieacademie gegaan en was intussen al heel wat jaartjes werkzaam als politieagente in het district Breda, Noord-Brabant.

'Er is al geweld genoeg op deze wereld,' had vader gemopperd toen ze zich voor de politieopleiding had laten inschrijven. 'En nu ga jij het gevaar opzoeken. Politieagent. Kind, dat is toch niets voor jou. Kijk liever uit naar een ferme boerenjongen om mee te trouwen. Ik kan nog wel wat extra handjes in mijn bedrijf gebruiken, hoor.'

Tja, dat vader moeite had met haar beroepskeuze, wist ze maar al te goed. Het besef dat ze dagelijks gevaar liep, stond hem niet aan.

Tessa nam gas terug en reed haar auto naar het plekje waar ze altijd parkeerde wanneer ze thuiskwam. Van achter het keukenraam zag ze moeder al zwaaien. Er werd op haar gewacht. Tessa lachte blij, greep haar handtas en opende het autoportier. De boerenjongen waarnaar haar ouders al zo veel jaar verwachtingsvol en gespannen uitkeken, had ze nog steeds niet gevonden. Ze was op haar dertigste nog steeds alleen, vrijgezel. Ze had geen relatie. Er was niemand die enige moeite had genomen om haar het hof te maken. De laatste tijd betrapte ze zich erop dat het verlangen naar een serieuze, lieve levenspartner toenam. Als jong meisje van zestien had ze eens een paar weken verkering gehad, en ook op haar achttiende nog een keer. Maar beide vriendjes hadden haar voor een ander knap meisje in de steek gelaten. Die gebeurtenissen hadden Tessa diep gekwetst. 'Trek het je niet aan, meid. Geen handvol, maar een land vol.' Met deze woorden hadden haar ouders haar destijds getroost. Ze was nog jong genoeg, en ook mooi. Ze kon aan iedere vinger wel tien jongens krijgen. Aan haar uiterlijk mankeerde niets. Ze had donkerblond schouderlang haar, ernstig kijkende bruine ogen, een kuiltje in haar kin en een slank postuur. Maar er had zich in de achterliggende jaren geen enkele jongeman meer gemeld. Toen ze naar de politieacademie was gegaan om haar opleiding te volgen, had ze geen tijd gehad om aan verkering en vriendjes te denken. Haar studie eiste alle aandacht op. Nadat ze haar examen had gedaan en de ambtseed had afgelegd, was moeder degene geweest die haar had geconfronteerd met haar vrijgezellenbestaan. 'Het wordt tijd om eens serieus rond te kijken naar een mogelijke huwelijkskandidaat, Tessa. Je bent intussen al vierentwintig. Straks ben je te oud en blijf je alleen over.' Sindsdien had haar moeder haar vaker met dit soort onheilspellende uitspraken geconfronteerd. Alsof ze de mannen voor het uitkiezen had. Dat had ze niet. Voor geen enkele man was van haar kant tot op heden een vonkje overgesprongen. Gewone vriendschap was de enige vorm van relatie waarmee ze het tot dusverre moest doen. Ze had genoeg vriendinnen en vrienden met wie ze regelmatig optrok, zoals enkele aardige collega's. Maar geen enkele man had een speciaal plekje in haar leven gekregen.

Tessa graaide haar weekendtas uit de kofferbak van haar auto en duwde de klep dicht. Op het erf rende Fikkie, de boerenfox van vader, luid keffend op haar af om haar te verwelkomen. Ze aaide hem verstrooid achter zijn oren. In de keuken kuste ze moeder op de wang.

'Wat fijn dat je er weer bent, Tess.' Moeder kneep even in haar arm van genoegen. 'Ga je maar snel omkleden. Dan zorg ik daarna voor een kop koffie.'

Tessa keek naar het politie-uniform dat ze nog aan had. Ze was vanmiddag na diensttijd thuisgekomen in het appartement dat ze huurde in een buitenwijk van Breda, maar had geen zin gehad om zich te verkleden. Ze ging veel liever eerst op 'De wijde blik' onder de douche. Daarna zou ze haar vrijetijdskleding aantrekken. Er was ook een praktische reden. Het uniform kon moeder dan meteen mee wassen en strijken, zodat het maandagochtend weer netjes klaar zou hangen voor aanvang van haar dienst.

'Goed, mam. Over een halfuurtje ben ik weer present voor een kop koffie.'

Tessa wilde de keuken verlaten, maar moeder legde nog even een hand op haar schouder voordat ze de deur achter zich dicht wilde slaan. 'Voordat ik het vergeet, Tess... Hanneke heeft een uur geleden gebeld, je was mobiel niet te bereiken, zei ze.'

'Dat klopt. Ik heb m'n gsm uit staan.' Tessa graaide in haar broekzak naar haar mobiele telefoon. Met een enkele druk op wat knopjes zag ze de gemiste oproep.

'Ik bel haar wel terug. Tot zo, mam.' Met de weekendtas in haar linkerhand en haar schoudertas bungelend over haar rechterschouder liep Tessa de trap op naar haar oude, vertrouwde kamertje. Ze wilde eerst douchen alvorens ze Hanneke zou bellen. Een telefoongesprek met Hanneke duurde meestal lang. Hanneke had altijd zo veel te vertellen. Over haar man Ben en hun drie kindertjes. Hanneke had het enorm getroffen met haar fijne gezinnetje. Vanaf de kleuterschool waren Tessa en zij al beste vriendinnen met elkaar. Daar was nooit enige verandering in gekomen. Zelfs niet toen Hanneke Ben Jongsma leerde kennen en trouwplannen kreeg. In vijf jaar tijd kregen Hanneke en Ben drie kinderen: Kim, Niek en Thijs. Baby Thijs was nu al bijna drie maanden, bedacht Tessa terwijl ze zich douchte en aan de kleine lievelingen van haar vriendin dacht. Wat zou ze zelf ook graag een man leren kennen met wie ze haar leven kon delen. Tessa voelde het gemis van een speciale vriend in haar leven heel intens opkomen. Zou dat nog wel voor haar weggelegd zijn, vroeg ze zich af. Of zou ze haar leven lang alleen blijven? Alleenstaand, nooit bij iemand horen. Ze droogde zich af met een badlaken en huiverde. Ze was erg op haar vrijheid gesteld, dat wel. Ze hoefde aan niemand verantwoording af te leggen. Ze kon altijd haar eigen gang gaan. Maar naast alle voordelen van haar vrijgezellenleventje voelde ze het gemis aan een partner met de dag toenemen. Raar, dat ze dat niet eerder zo intens had gevoeld. Kwam het nu doordat ze ouder werd en de dertig al gepasseerd was? Tessa hees zich in een spijkerbroek, trok een shirtje aan en daaroverheen een leuk colbertje met fraaie opdruk. Een half jaar geleden had ze deze combinatie gekocht op advies van de modebewuste Hanneke. Toen Tessa zich dat herinnerde, pakte ze meteen haar mobiele telefoon en toetste ze Hannekes 06-nummer in. Ze moest nu even tijd nemen om Hanneke terug te bellen.

'Ha, die Hanneke. Alles goed?' Tessa lachte spontaan toen ze de enthousiaste stem van Hanneke in haar oor hoorde.

'Hoi Tess...'

Ze voelde natte druppels uit de punten van haar haren in haar hals glijden en veegde die weg met de handdoek waarmee ze zich zojuist had afgedroogd. Ze luisterde naar de overvloed aan woorden die Hanneke over haar uitstrooide. Met de kinderen en Ben ging alles goed. En of Tessa vanavond een uurtje tijd had om op de kleintjes te passen. De moeder van Ben lag in het ziekenhuis. Hanneke wilde graag naar het bezoekuur, samen met Ben.

'Kun je een uurtje, Tess? Alsjeblieft...'

Tessa zuchtte licht. Ze had vanavond graag thuis willen blijven om een poosje over het erf van 'De wijde blik' te wandelen. Er waren afgelopen week aardig wat arrestaties in een achterstandswijk verricht waarbij ze had geholpen, zelfs met gevaar voor eigen leven. Een jongen van twintig had enkele seconden een mes op haar gericht. Een enorme bedreiging. Gelukkig had Ernst Wierda, haar collega, hem het mes snel afhandig weten te maken. Daarnaast stond het ernstige verkeersongeval van deze ochtend haar nog helder voor ogen. Er waren twee doden gevallen. De traumahelikopter was eraan te pas gekomen voor een derde slachtoffer. Een wandeling over het erf en de stilte van de avond zouden haar goed doen, wist ze. Hier op het platteland kon ze de gebeurtenissen nog eens overdenken en verwerken. De lucht, de wind en de stilte waren in de loop van de jaren heilzame elementen geworden voor de verwerking van het beroepsgevaar dat ze dagelijks liep.

'Oké. Een uurtje, zei je?' Die wandeling kon ze natuurlijk ook later op de avond maken. Hoewel, moeder zou het vast ongezellig vinden als ze na het eten meteen weer weg wilde.

'Ja, veel langer duurt het niet. Maar je gaat daarna niet meteen weer weg, hoor Tess. Ik heb je al tijden niet gezien, en er is nog zo veel wat ik je moet vertellen.'

Daar was Tessa al bang voor. Bij Hanneke lukte het niet even een uurtje op visite te gaan. Ze verstond de kunst haar voor een hele avond op te eisen.

Tessa verbrak de verbinding met de belofte dat ze er om halfzeven zou zijn. Daarna liep ze naar beneden, waar moeder een kop koffie voor haar neerzette.

Moeder zuchtte enigszins bezwaard toen Tessa vertelde dat

ze na de warme maaltijd meteen naar Hanneke wilde om op haar kinderen te passen.

'Ik maak het niet te laat, mam. Dat beloof ik,' probeerde Tessa haar moeder gerust te stellen.

Maar moeder schudde langzaam haar hoofd. 'Dat maakt me niet zo veel uit, kind. Je weet dat we Hanneke als een eigen dochter beschouwen. Jullie vriendschap duurt al zo lang. Natuurlijk moet je haar helpen nu de moeder van Ben in het ziekenhuis ligt. Maar het zou je vader en mij goeddoen als je zelf ook eens een leuke man leerde kennen. Een man om mee te trouwen en met wie je een gezinnetje kunt stichten.'

'Hè, ma, geen gezeur, hoor.' Tessa's gezicht betrok. Ze duwde het kopje koffie van zich af. Als moeder over dit onderwerp wilde doorpraten, zou ze naar buiten gaan.

'Ach, kind, als moeder maak ik me zorgen om je. Al je vriendinnen zijn getrouwd. Je wilt toch geen oude vrijster worden?'

'Nee, dat wil ik ook niet. Kunnen we alsjeblieft over een ander onderwerp praten? Anders ga ik nu naar buiten.'

Moeder zuchtte nog eens diep en schudde haar hoofd. Dat Tessa nog steeds geen vaste vriend had, baarde haar de nodige kopzorgen. Straks was het kind te oud en alleen nog maar in trek om met een oudere weduwnaar of een gescheiden man te trouwen. Nou, daarvoor had ze haar dochter niet op deze wereld gezet. En Bertus ook niet. Ze wilden niets liever dan een goede schoonzoon en een paar kleinkinderen. Dat gunden ze Tessa allebei, maar het leek haar niet veel te interesseren. Het vrijgezellenleven van Tessa werd langzaam maar zeker een obsessie voor haar. Magda zocht koortsachtig in haar hoofd naar alle mannelijke vrijgezellen in de directe omgeving. Er waren er nog enkele. Tessa kende hen ook. Ze zag hen iedere vrije zondag in de kerk. Waarom deed ze toch zo weinig moeite om een van die kerels beter te leren kennen? Nee, Magda begreep echt niets van haar dochter. Misschien kon ze haar de helpende hand bieden en een van die jongemannen op zaterdagavond uitnodigen wanneer Tessa weer eens een weekend thuis was.

'Heb je een drukke week gehad?' veranderde Magda tactisch

van onderwerp. Het had geen zin erover door te praten. Tessa reageerde zo lichtgeraakt.

Tessa trok de kop koffie weer naar zich toe en dronk een paar slokjes.

'Nogal wat arrestaties. U leest het morgen wel in de krant.' Ze gaf een summiere toelichting op wat ze tijdens haar diensttijd had meegemaakt. Toen vader op kousenvoeten de keuken betrad, met Fikkie in zijn kielzog, zweeg ze wijselijk over haar werk. 'Ha, die pa,' begroette ze hem. 'Alles goed met u?'

De oude man gromde iets onverstaanbaars, maar streek in het voorbijgaan toch even liefdevol over haar nog vochtige haar. Even later zat hij in de krant verdiept, en hielp Tessa haar moeder met het klaarmaken van de warme maaltijd.

Hanneke en Ben stonden al startklaar om naar het ziekenhuis te gaan toen Tessa arriveerde. Tessa omhelsde Hanneke, die een wat gejaagde indruk maakte. Zoals altijd zag Hanneke er tiptop uit. Lang donker haar, felle groene ogen, rode blosjes uit een poederdoosje op haar wangen en spierwitte tanden wanneer ze lachte. Daarbij was ze zoals altijd modieus gekleed. Ze had jaren lang als verkoopster in een modezaak gewerkt, maar na de geboorte van Kim was ze definitief gestopt met werken.

'We spreken elkaar straks,' fluisterde Hanneke in haar oor, terwijl Ben de voordeur al uit liep na een korte groet. 'Wil je Kim om halfacht naar bed brengen? Thijs heeft een halfuur geleden zijn flesje al gehad, en ik heb hem zojuist tegelijk met Niekje naar bed gebracht.'

'Goed, ik zorg ervoor. Groetjes aan je schoonmoeder, en wens haar beterschap.'

Tessa keek Hanneke na, die bij Ben in de auto stapte. Ze was een beetje nerveus, zag ze. Er was iets niet helemaal in de haak met Hanneke. Zo gejaagd was ze anders nooit. Ach, misschien kwam het wel door haar zieke schoonmoeder. In de kamer vond ze Kim in een hoekje van de bank. De kleine meid zat in haar nachtpon naar Sesamstraat te kijken.

'Tante Tess,' riep ze blij verrast, 'kijkt u mee naar Tommie en Ieniemienie?'

Tessa omarmde het kleine meisje vertederd. 'Natuurlijk, lieve schat.' Ze ging naast Kim zitten en zag een kwartier lang allerlei andere vrolijke Sesamstraatfiguren de revue passeren. Ze herinnerde zich haar eigen kindertijd weer, toen het programma ook al zo razend populair was. Om halfacht liet Kim zich gewillig in bed helpen. Tessa vertelde nog een verhaaltje, bad het kindergebedje 'Ik ga slapen, ik ben moe' en kuste daarna het kleine meisje op haar wang. Voordat ze de deur achter zich dichttrok, keek ze nog eenmaal achterom. Kim had beide oogjes al dicht van vermoeidheid. Voorzichtig gluurde Tessa vervolgens naar de slapende Niek, en in het kamertje ernaast boog ze zich over de wieg van Thijs. Wat was Hanneke rijk, flitste het door haar heen. De kleine baby vertederde haar. Zachtjes streek ze langs het roze wangetje. Het mondje maakte smakkende geluidjes. Ze hoopte later zelf ook moeder te worden van een kleine baby. Maar dat leek nu nog oneindig ver weg. Ze was voorlopig nog alleen. Op dit moment kon ze niets anders doen dan af en toe van Hannekes rijkdom genieten. Hannekes kinderen waren haar erg dierbaar.

Om iets over halfnegen stopte de auto van Ben weer voor het huis. Tessa had al koffie gezet. Ze voelde zich thuis in de woning van haar vriendin. Tot haar verbazing zag ze alleen Hanneke uitstappen, en Ben weer wegrijden.

'Gaat het niet goed met je schoonmoeder?' informeerde ze meteen toen Hanneke binnenkwam. 'Moet Ben daarom terug naar het ziekenhuis?'

'O, nee, het gaat al wat beter met haar. Over twee dagen mag ze weer naar huis. Ben heeft vanavond nog een vergadering van de waterpoloploeg. Het kan vanavond laat worden. Daarom vind ik het fijn dat je nog even bij me kunt blijven. Anders zit ik zo lang alleen. Ik heb er een hekel aan dat Ben op vrijdagavond een vergaderafspraak maakt. De laatste tijd gebeurt dat zo vaak. Nou ja... de competitie van de waterpolo is zijn lust en zijn leven.' Hanneke zuchtte alvorens ze verder ging.

'Ging Kim zonder problemen mee naar bed? Ze is soms een beetje dwars omdat Thijs zo veel aandacht krijgt.'

'Ja hoor,' antwoordde Tessa. 'Met Kim heb ik nooit problemen. Dat weet je. Het is zo'n lieve schat. De andere twee kleintjes slapen ook.'

Hanneke liet zich met een plof op de bank vallen. Het viel Tessa nu pas op dat ze er zorgelijk uitzag. Ze had zich niet vergist. Hanneke maakte een gespannen, nerveuze indruk. Tessa schonk voor hen beiden een kop koffie in.

'Vertel me maar eens wat je dwarszit,' moedigde ze Hanneke aan. 'Er is iets met je. Ik zie het en ik voel het. Mij maak je niets wijs.'

'O, Tess, jij ziet ook alles. Ik had gehoopt vanavond samen over leuke dingen te praten. Jij maakt op je werk al zo veel narigheid mee. Ik wil je niet met mijn zorgen belasten.' Hanneke streek met een vermoeid gebaar haar haren achter haar oor, waarin ronde oorringen zachtjes rinkelden.

Tessa dronk van haar koffie en schudde zachtjes haar hoofd. 'Jij bent al heel lang mijn beste vriendin, Han. In goede, maar ook in slechte tijden. Voor de draad ermee.'

Er gleed een glimlach over het gezicht van Hanneke. Maar in haar ogen verschenen plotseling tranen. 'Het gaat om Jessica,' begon ze fluisterend. 'Er is iets met mijn zusje aan de hand, maar ik weet niet wat. Het lijkt erop dat ze me de laatste tijd negeert. Na de geboorte van Thijs is ze nog maar één keer bij me op bezoek geweest. Jij weet als geen ander dat Jessica en ik altijd samen optrekken. Ze is ook gek met de kinderen, vooral met Kim. Ik begrijp het niet, Tess. Als ik nu een afspraak met haar wil maken, heeft ze iedere keer opnieuw een smoes. Het is heel opvallend. Net als vanmiddag, toen ik haar vroeg of ze vanavond even op de kinderen wilde passen. Ze vertelde me dat ze al een afspraak had staan, maar ik geloof er niets van. Jessica stotterde. Ze stottert altijd wanneer ze liegt, Tess. Daarom moest ik jou inschakelen. Anders kon ik niet eens mee naar de moeder van Ben.'

Tessa's gedachten vlogen naar Jessica, het vijf jaar jongere zusje van Hanneke. Een hartelijke, vrolijke meid, die ze ook al heel lang kende. Ze had Jessica nog in de wandelwagen zien liggen toen haar vriendschap met Hanneke tijdens hun kleuterjaren ontstond. De problemen rondom Jessica's handicap had ze ook vanaf het begin meegemaakt. Jessica was slechthorend, een afwijking die was ontstaan na een hersenvliesontsteking die het meisje op tweejarige leeftijd had doorgemaakt. Op dit moment droeg ze in beide oren een modern hoortoestel als hulpmiddel. In haar woning had ze enkele aanpassingen tot haar beschikking, zoals een geluidsversterker op haar telefoon en een infraroodlamp die aanging wanneer men op de deurbel drukte. Maar dat was vroeger anders geweest, toen ze als kind met haar handicap moest leren omgaan. Via een kno-arts werd Jessica al snel doorgestuurd naar een audiologisch centrum, waar ze meer dan eens een gehoortest moest ondergaan. Tessa had in die tijd, net als Hanneke en de andere familieleden, geleerd altijd duidelijk te praten tegen Jessica. Het meisje leerde al heel jong naar de bewegingen van monden te kijken. Uiteindelijk kreeg ze professionele hulp om zich het liplezen eigen te maken. Niet alleen Jessica kreeg deze vorm van communicatie onder de knie, maar ook haar familie en Tessa. Dat gebeurde spelenderwijs.

'Tja, dat is vreemd. Hebben jullie geen onenigheid met elkaar gehad? Je weet dat Jessica erg gevoelig is.'

'Nee, absoluut niet. Ik begrijp het ook niet. Er is helemaal niets gebeurd. Toen ik van Thijs in het kraambed lag, is ze nog één keer op bezoek geweest. Daarna niet meer. En als we op zondag na de kerkdienst bij pap en mam zijn en elkaar daar ontmoeten, ontwijkt ze me. Het is eigenlijk heel bizar, en ik weet niet wat ik moet doen. Pap en mam hebben het volgens mij ook in de gaten.' Er biggelde een traan over Hannekes wang.

Tessa fronste haar wenkbrauwen. Ze kon het verhaal van Hanneke nauwelijks geloven. De zusjes Hanneke en Jessica stonden altijd heel dicht bij elkaar. Er moest iets zijn. Anders zou Jessica nooit zo terughoudend reageren.

'Heb je er al met Ben over gesproken?'

Hanneke schokschouderde gelaten en wreef met de muis van haar hand de tranen weg. 'Ben zegt dat ik me aanstel en beren op de weg zie. Hij vindt dat Jessica haar eigen leven mag hebben, dat ik te veel beslag op haar leg. Maar dat is niet zo, Tess. Dat weet jij ook.'

Tessa zuchtte. Ze moest Hanneke gelijk geven. 'Wil je dat ik binnenkort eens met Jessica ga praten om erachter te komen wat de reden van haar gedrag is.'

De betraande ogen van Hanneke glinsterden. Ze beet op haar lip en knikte. 'Graag. Jessica vertrouwt jou. Dat weet je. Je bent als een zus voor haar. Ik wil er pap en mam niet mee lastigvallen.'

'Komende week ga ik op bezoek bij Jessica.'

Dat stelde Hanneke gerust. Na het eerste kopje koffie dronken ze er samen nog een. Tessa vertelde over haar werk en het contact met haar collega's bij de politie. 'Ik was het bijna vergeten, maar aanstaande maandag krijgen we tijdelijk een nieuwe teamchef op het bureau.'

'Wat een opwindend leven heb jij toch,' zuchtte Hanneke. 'Ik ben het contact met mijn oude collega's kwijtgeraakt door de zorg voor mijn drie kindertjes. Ik heb soms het gevoel dat ik in een klein kringetje leef. Een kleuter, een peuter én een baby. Alles draait dagelijks om hen, van 's morgens vroeg tot 's avonds laat. Soms ben ik vreselijk jaloers op je, Tessa. Jij bent vrij om te doen en te laten wat je wilt.'

'Rare,' schold Tessa verontwaardigd. 'Ben en jij zijn zo enorm gezegend met jullie gezinnetje. Dat mag je nooit vergeten, hoor. Het lijkt me heerlijk drie van die knuffeltjes te verzorgen.'

Om halftien kreeg Tessa baby Thijs en een flesje melkvoeding in haar armen gedrukt. Samen keken ze verrukt naar het kleine ventje dat zijn flesje keurig leegdronk. Toen Ben om halfelf arriveerde, stond Tessa op om weer naar 'De wijde blik' te gaan. Hij fronste zijn wenkbrauwen toen Tessa naar de deur liep met de woorden: 'Je hoort wel van me wanneer ik bij Jessica ben geweest.'

Later die avond, toen Tessa over het erf van haar vader liep en de donkere sterrenhemel afzocht naar alle bekende sterren, besefte ze dat de houding van Ben in deze situatie uiterst merkwaardig was geweest. Zijn reactie was wel erg kil geweest. Hij wist wat de beide zusjes voor elkaar betekenden. Een goede relatie die plotsklaps veranderde, had niets met beren op de weg te maken. Er moest iets gebeurd zijn. Enfin, ze zou komende week eens met Jessica gaan praten. In de verte hoorde ze de kerkklok twaalf keer slaan. Het was middernacht. Haar ouders lagen al op bed, en Fikkie in zijn mand. Tessa liet haar gedachten nog eens de vrije loop over enkele situaties op haar werk. Het mes dat op haar werd gericht, de dreiging die daarvan uitging en het ernstige auto-ongeluk met dodelijke afloop. Het was goed dat ze nu geen weekenddienst had, maar twee dagen stoom kon afblazen op 'De wijde blik'. Ze ging op de tuinbank zitten die tegen het huis aan stond. Uit het duister kwam een van de vele poezen lopen die de boerderij rijk was. Het lenige beest sprong naast haar op het bankje en nestelde zich vervolgens op haar schoot. Ze aaide de zachte vacht en de dikke buik die vol met jongen zat. Vast een reden waarom het dier vannacht niet op muizenjacht wilde. Ze kreeg nesteldrang. Het zou niet lang meer duren. Een halfuurtje later stond Tessa op en schoof de poes voorzichtig van haar schoot op het bankje, waar het dier gewoon verder sliep. Tessa had het koud gekregen, maar de stilte van deze aprilnacht had haar goedgedaan. Morgen was ze van plan samen met moeder naar Jacco, Nicolien en de jongens te gaan. Ze keek er nu al naar uit. Job en Frankie waren gek met haar, en dol op haar belevenissen bij de politie. Ze vertelde hun lang niet alles; daar waren ze nog te klein voor. Maar wat spannende details over een achtervolging deden het altijd goed. Stilletjes sloop Tessa naar boven. Ze kroop onder het dekbed en sliep niet veel later in.

2

André Bontekoe duwde de garagedeur dicht en draaide hem op slot. Het leren motorpak zat hem als een tweede huid om zijn lijf. Hij duwde de helm over zijn donkerblonde haren, het vizier voor zijn blauwe ogen, en stapte op zijn motor. Met een rappe beweging startte hij zijn zwarte, glimmende BMW BOXER. Even had hij geaarzeld vanmorgen al zo vroeg met zijn motor op stap te gaan. Zijn auto stond ook in de garage. Als hij gebruik maakte van zijn auto, hoefde hij zich niet eerst helemaal in een motorpak te hijsen. Maar de weersverwachting voor deze dag was buitengewoon goed, evenals die voor de komende week. Hij had echt zin in een rit op zijn motor. Over een uur verwachtte hij in Breda te zijn, om zich later op de ochtend bij het plaatselijke regiokorps te melden. Daar zou hij voorlopig enkele maanden als teamchef ingezet worden om een langdurig zieke collega te vervangen. André had deze kans met beide handen aangegrepen toen de regionale korpsleiding van Den Haag hem deze tijdelijke standplaats aanbood. Hij dacht al weken na over een overplaatsing, maar steeds had hij geaarzeld, omdat het korps waarover hij de leiding had, hem zo vertrouwd was. Nu het aanbod van tijdelijke aard was, had hij de knoop doorgehakt.

André gaf gas en de motor reed met een vaart de straat uit. Voordat hij zijn motor de snelweg op stuurde, reed hij via een kleine omweg door een buitenwijk. Een wijk met dure villa's en vrijstaande bungalows. Daar bleef hij een poosje staan kijken, met het vizier van zijn helm omhooggeschoven. Helemaal achteraan in de laan stond het grootste huis van de wijk. Dat was het huis waar zijn Nienke nu woonde. Nienke de Lange, die hem een halfjaar geleden in de steek had gelaten voor een andere man, de steenrijke zakenman Ruud Bossers. Vorige week waren ze getrouwd. Op een afstand had André staan toekijken hoe Ruud zijn mooie jonge bruid uit de witte trouwkoets met paarden ervoor hielp en samen met haar het stadhuis in liep. André had er een brok van in zijn keel gekregen. Drie jaar was Nienke zijn meisje geweest. Hij hield zielsveel van haar. Ze hadden samen toekomstplannen gehad en hadden binnen afzienbare tijd willen trouwen. Maar toen was Ruud in het leven van Nienke gekomen. Zijn rijkdom had haar als een magneet aangetrokken. 'Met Ruud als echtgenoot heb ik in het leven veel meer kansen, Dré. Dat begrijp je toch wel?' had ze gezegd. Zo simpel was het voor Nienke geweest. André kreeg nog een bittere smaak in zijn mond als hij zich haar woorden herinnerde.

Vanaf dat moment had hij aan overplaatsing gedacht. Hij moest een poosje weg uit deze plaats. Er waren te veel herinneringen. Het bleef hem steeds achtervolgen, en het lukte hem niet de periode met Nienke achter zich te laten. Hij staarde naar het riante huis, dat er stil bij lag op dit vroege uur van de dag. De tuin stond in bloei. Hij hoefde niet bang te zijn dat de voordeur plotseling zou opengaan of dat Nienke met haar hoofd uit het raam zou komen hangen. Hij wist van een informant dat ze op huwelijksreis was gegaan, daags na haar huwelijk met Ruud. André wilde alleen haar huis nog even zien, voorgoed afscheid nemen en deze periode definitief afsluiten. Hij hoopte dat het hem zou lukken, want ondanks haar ontrouw hield hij nog steeds van haar. Als ze nu naar hem toe zou komen lopen, zou hij zijn armen wijd openspreiden en haar alles vergeven. Maar dat zou nooit gebeuren. Daar zorgde de rijkdom van Ruud wel voor.

André duwde met een beweging van zijn voet de motor halverwege de straat en keerde om. Het vizier ging weer voor zijn ogen, en hij gaf flink gas, zodat zijn motor buitensporig hard brulde toen hij veel te snel wegreed. Op de snelweg voerde hij zijn snelheid van meet af aan hoog op. Met Nienke in zijn hoofd moest hij zich altijd afreageren. Haar onvoorwaardelijke keuze voor een rijke man als Ruud Bossers maakte nog steeds behoorlijk wat agressie los in zijn binnenste. Hij reed behendig langs auto's, vrachtwagens en bussen. Het ochtendverkeer begon een beetje op gang te komen. Als hij flink gas gaf, zou hij een verwachte file bij Breda nog op tijd kunnen ontwijken. Voor aanvang van zijn dienst wilde hij nog even naar zijn tijdelijke pension rijden; daar had zijn werkgever een etage voor hem gehuurd. Afgelopen vrijdag had hij er al enkele persoonlijke spullen gebracht, waaronder zijn kleding, toiletartikelen en – niet te vergeten – zijn dienstkleding. Om halftien verwachtte hij een politiemedewerker van het korps Breda, die hem met een dienstauto zou komen halen. Er stond gepland dat hij om elf uur aan het hele politieteam voorgesteld zou worden, voor zover dat mogelijk was. Er waren natuurlijk altijd wel enkele agenten op straat om toezicht te houden. Die zou hij later op de dag ontmoeten, aan het eind van hun dienst. André hing voorover op zijn motor. De kilometers vlogen onder zijn wielen voorbij. Hij voelde zich wonderlijk licht en gaf nog wat extra gas toen hij een andere snelle wagen passeerde. Het was op de motor steeds weer een uitdaging het andere verkeer dat snel reed, met een nog hogere snelheid te passeren. Nog geen minuut later werd hij onverwacht tot de orde geroepen om snelheid te minderen. Achter hem verscheen ineens een politieauto. Hij zwenkte naar rechts om de auto te laten passeren. Maar tot zijn verbazing werd hem met een stopteken verzocht langs de kant van de weg bij een parkeerplaats te stoppen. André gehoorzaamde, stapte van zijn motor en nam de helm van zijn hoofd. Uit de politieauto stapten twee agenten, een mannelijke en een vrouwelijke, allebei keurig in dienstkleding. Hij glimlachte, dit was een mooie gelegenheid om zich meteen voor te stellen als hun nieuwe teamchef. Ze hoorden vast bij zijn nieuwe regiokorps. Maar de man en vrouw keken hem beiden ernstig aan. De vrouw vroeg hem meteen naar zijn rijbewijs, en de mannelijke agent bekeek zijn motor met kennis van zaken. Hij liep er langzaam omheen.

'Uw snelheid, meneer. Weet u wel hoe hard u reed?' Haar stem klonk gezaghebbend; dat moest hij toegeven.

Hij keek in haar bruine ogen, waarin geen enkel spoor van emotie te zien was.

'Waarschijnlijk iets te hard,' antwoordde André eerlijk. 'U

hebt gelijk. Ik geef het toe.' Hij overhandigde haar zijn rijbewijs en wilde zich verder verontschuldigen voor zijn weggedrag, maar kreeg de kans niet.

'Tja, 160 kilometer per uur is inderdaad te hard, en ook niet
toegestaan. Ik ben blij dat u dat zelf ook inziet. De maximale
snelheid op deze snelweg is 120 kilometer. Daarom krijgt u
van mij een bekeuring.'

De politieagente haalde meteen een boekje uit haar zak en
begon driftig te schrijven. André hapte een moment naar
adem. Werd er in deze regio gewerkt zonder waarschuwing?
Hij had te hard gereden. Dat wilde hij niet ontkennen. Hij gaf
het zelfs ruiterlijk toe. Maar meteen verbaliseren ging hem
toch even wat te ver. De agente keek hem met een voldane
glimlach om haar mond aan toen ze hem het verbaal samen
met zijn rijbewijs aanreikte. 'Als u een volgende keer iets harder rijdt, kunnen we zelfs uw rijbewijs in beslag nemen. Laat
dit een waarschuwing zijn. Alstublieft, en nog een prettige dag
gewenst.'

Ze draaide zich om en wenkte haar collega, die niet kon nalaten een compliment over zijn BMW BOXER uit te spreken.
'Een prachtig exemplaar. Daar heeft de politie ook nog een
lange periode op gereden.'

'Nou Ernst, overdrijf je nu niet? De politie houdt zich altijd
aan de verkeersregels, en dat deed deze man niet,' hoorde André
de agente nog zeggen voordat ze in hun dienstauto stapten.

André ritste zijn motorpak van boven een stukje open en
duwde het proces-verbaal met zijn rijbewijs in een binnenzak.
Hij keek de wegrijdende politieauto verongelijkt na. Uitslo-
vers, dacht hij boos. Hij zou straks op het bureau meteen iets
regelen om deze overtreding ongedaan te maken. Wat dachten
ze wel? Ze moesten eens weten wie ze geverbaliseerd hadden.
Het was te gek voor woorden. En dat zelfs zonder waarschuwing? Nee, die ijverige agente was nog niet van hem af. Hij
zou haar weleens een lesje leren. Toen de politieauto tussen
het overige verkeer op de snelweg verdwenen was, duwde
André zijn helm weer op het hoofd en vervolgde hij zijn weg.

Op maandagmorgen stond Tessa al om halfzes op. Aan de kast hing haar politie-uniform, door haar moeder keurig gewassen en gestreken. Ze nam een douche en ging daarna gekleed in haar ochtendjas naar de keuken, waar moeder de ontbijttafel al had klaargemaakt. Vader en Fikkie kwamen door de achterdeur naar binnen. Vader stond 's morgens al om vijf uur op. Dat was hij gewend vanuit de tijd dat hij zelf nog de scepter zwaaide over het agrarische bedrijf. Daar was nooit verandering in gekomen. De hobbykippen, die hij erop nahield voor de eieren, waren intussen al gevoerd. Vader hield zijn pet ondersteboven in de hand; daar lagen zes grote eieren in. Hij gaf ze aan moeder en ging daarna stilzwijgend aan tafel zitten. De pet hing hij gewoontegetrouw aan zijn stoel.

'Goedemorgen, pap. Verwacht u een drukke dag vandaag?' Tessa glimlachte naar zijn weerbarstige gezicht.

Hij haalde zijn schouders op. 'Hm, ik ga straks een paar uur met Jacco het land op. Er is werk genoeg,' bromde hij.

Toen Tessa een halfuur later haar auto het erf af wilde rijden, stond vader haar bij de oprit op te wachten. 'Kijk je goed uit, voor al dat crimineel gespuis in de stad?' hoorde ze hem bezorgd mompelen. Zijn ogen gleden over haar uniform.

Tessa glimlachte. 'Natuurlijk, papaatje. Volgende week ziet u me hier wel weer een dagje verschijnen.'

Vader tikte tegen zijn pet en knikte kort. Zwaaien deed hij niet.

In haar achteruitkijkspiegel zag Tessa hem met zijn hark in de hand naar de moestuin lopen. Hij was altijd bezig, stilzitten was er niet bij.

Tessa haalde eens diep adem. Ze had een fijn weekend gehad. Zaterdag was ze met Nicolien, de jongens en moeder op stap geweest. Dat was een verademing geweest na de drukte van vorige week. Gisteren had moeder haar na de kerkdienst willen voorstellen aan een jongeman uit het dorp verderop, maar ze had zich haastig uit de voeten gemaakt. Ze hield er niet van als moeder dergelijke acties ondernam om haar aan de man te brengen. Nu lag er weer een nieuwe werkweek voor haar. Op het bureau waren de collega's al present voor een briefing. Ze werden ingelicht over een nieuwe teamchef uit Den Haag die zich later deze ochtend op het bureau zou melden. Voorlopig moest ze met collega Ernst Wierda een paar uurtjes verkeerscontroles gaan uitoefenen op de snelweg.

Ernst parkeerde de dienstauto op een onopvallend plekje nabij een benzinestation. Het verkeer raasde voorbij, zonder de maximumsnelheid te overtreden. Na een kwartier reden Tessa en Ernst naar een andere locatie. Voordat ze die bereikten, zag Ernst een motorrijder rijden die waarschijnlijk dacht dat hij zich niet aan de verkeersregels hoefde te houden. Ernst trapte het gaspedaal diep in en voerde zijn snelheid eveneens hoog op. Uiteindelijk lukte het hem de motorrijder te passeren en hem op een parkeerplaats aan te houden.

'Geef jij hem maar een bekeuring, Tessa,' zei Ernst.

'Ja, die man heeft een bekeuring verdiend. Als hij nog iets harder had gereden, was hij zijn rijbewijs kwijt geweest. Wat een lef, zeg.'

Ze stapten uit. Tessa zag dat de motorrijder zijn helm afnam. De man had een open, vriendelijk gezicht, alsof hij al zijn charme in de ring wilde gooien om onder een bekeuring uit te komen. Nou, dat zou ze niet laten gebeuren. Ze vroeg hem naar zijn rijbewijs en haalde daarna het bonboekje tevoorschijn. Met een ernstige blik op haar gezicht schreef ze een bekeuring uit. De man deed geen enkele moeite om zijn overtreding goed te praten. Tessa gaf hem zijn rijbewijs met bekeuring terug. Ernst was behoorlijk onder de indruk van de motor waarop de man zo hard gereden had. Maar Tessa toonde geen enkele belangstelling, ze vond het een gevaarlijk vervoermiddel. De meeste verkeersongevallen waarbij motorrijders betrokken raakten, liepen niet goed af. Niet zelden vond een motorrijder de dood, of raakte hij levensgevaarlijk gewond. Ze stapten weer in de dienstauto, en Ernst voegde de auto in het andere verkeer. Ze keurden de motorrijder geen blik meer waardig, en Tessa dacht niet eens meer aan de man die ze 's morgens vroeg bekeurd had, tot het moment dat ze op het bureau voorgesteld werd aan André Bontekoe, de nieuwe teamchef uit Den Haag, die tijdelijk een zieke collega kwam vervangen. In zijn uniform zag de man er indrukwekkend uit. Brede schouders, dik donkerblond haar, blauwe ogen, snor, sikje. Deze man hadden ze vanmorgen langs de snelweg bekeurd vanwege zijn veel te hoge snelheid op de motor. Het zweet brak Tessa uit. Ze keek een ogenblik zijdelings naar Ernst, die ook tot de ontdekking was gekomen dat ze de nieuwe teamchef hadden bekeurd. Tessa kuchte. Ze vermande zich meteen. Wat ze hadden gedaan, was juist geweest. André Bontekoe had zijn bekeuring verdiend. Als teamchef bij de politie had hij zich aan de toegestane snelheid moeten houden. Nee, ze hoefde geen spijt te hebben van die bekeuring. Ze rechtte haar schouders en glimlachte, maar de ernstige blik in haar ogen week geen moment.

'Ik ben Tessa van Vliet. Prettig kennis met u te maken,' zei ze toen ze hem een stevige handdruk gaf.

André Bontekoe keek haar doordringend aan, maar ze sloeg haar ogen niet neer. 'Is dat zo? Onze eerste kennismaking was minder prettig voor mij. Die zal ik in ieder geval niet zo snel vergeten,' zei hij vervolgens, met een sarcastische ondertoon in zijn stem.

'U liet mij helaas geen andere keus. Het spijt me voor u.' Tessa voelde haar hart bonken in haar keel. Hij dacht toch niet dat ze zijn verkeersovertreding zou wegwerken, alsof het een vergissing was? Ze voelde absoluut niets voor vriendjespolitiek. Deze man had zich schuldig gemaakt aan een grove verkeersovertreding. Een overtreding die ze als agente niet door de vingers mocht zien.

'Een waarschuwing had ik in mijn situatie kunnen begrijpen,' probeerde André zich alsnog te verdedigen.

Tessa fronste haar wenkbrauwen. 'Bij kleine snelheidsovertredingen geef ik een waarschuwing. Maar bij de snelheid die u zich permitteerde, is een waarschuwing allang uit beeld verdwenen. Dat zult u vast en zeker begrijpen.'

André knikte. 'Denkt collega Wierda er ook zo over?'

'Daar steek ik m'n hand voor in het vuur.' Tessa wilde dat André erover ophield. Zijn drammerige woorden zorgden voor veel onrust in haar binnenste, hoewel ze ervoor zorgde dat ze uiterlijk onbewogen leek. André Bontekoe werd de komende maanden wel haar nieuwe teamchef. Het zag er nu al naar uit dat hij haar met andere ogen zou bekijken, nu ze niet bereid was zijn bekeuring als een vergissing af te doen. Hij zou haar die nog lang kwalijk nemen.

Later sprak ze Ernst erover aan in de kantine. 'Heeft Bontekoe met jou nog over die bekeuring gesproken?'

Ernst ontkende. 'Ik voel me wel enigszins verlegen met de situatie, maar ja... we konden toch niet anders? Zijn asociale weggedrag verdiende dat bonnetje.'

Tessa haalde opgelucht adem. 'Ik ben blij dat we aan dezelfde kant staan. Het ziet ernaar uit dat Bontekoe van dat bonnetje af wil.'

'Dat kan ik begrijpen. Maar jij en ik zijn een team, Tess. We hebben juist gehandeld,' vulde Ernst aan.

Na een korte lunch in de kantine stapten ze beiden haastig in hun dienstauto. Er was melding gemaakt van een auto-ongeluk. Tijdens de rit naar de plaats van het ongeval vergat Tessa het gesprek met haar nieuwe teamchef. Ze had al haar aandacht nodig bij de ravage die twee vrachtwagens op de snelweg hadden aangericht.

André bekeek de ongezellige woonkamer van zijn pension. De etage op de tweede verdieping was ruim, maar karig gemeubileerd. Een kast, een eethoek en een stoel, meer stond er niet. Voor een radio en televisietoestel had hij zelf gezorgd. Zijn laptop stond op de eettafel, met een hoge stapel dossiers ernaast. Hij wilde vanavond nog wat administratief werk verrichten. De ziekte van zijn collega had voor een flinke werkachterstand gezorgd. Als hij hier enkele avonden tijd voor nam, zou hij volgende week met een schone lei kunnen beginnen. Dat had hij er graag voor over. André liep door iedere kamer van de etage. Hij dacht erover na wat klein meubilair uit zijn woning in Den Haag tijdelijk naar dit pension te verhuizen. Hij was niet van plan iets nieuws aan te schaffen. Dat had ook geen zin. Over niet al te lange tijd moest hij toch terug naar het regiokorps Den Haag. Aan zijn slaapkamer was op het oosten een ruim balkon verbonden; via een deur kon hij er komen. Hij zou van de zonsopgang kunnen genieten als er niet van die lelijke torenhoge appartementen achter zijn pension waren gebouwd. Wat had de architect eigenlijk bezield toen hij deze wijk op papier tekende? Alle woningen en appartementen, waaronder ook zijn pension, stonden veel te dicht op elkaar. Ze woonden hier als ratten in een val. Maatschappelijk gezien kon dat alleen maar problemen opleveren, mopperde André in zichzelf. En toch wist hij dat deze buurt keurig onderhouden werd en weinig maatschappelijke problemen kende. Dat was in Den Haag vaak anders. Daar zou een wijk als deze het predikaat achterstandswijk krijgen. Daarom was hij blij daar in een ruime buitenwijk te mogen wonen. Hij miste zijn riante hoekwoning die van alle gemakken was voorzien.

André duwde de balkondeur open en stapte naar buiten. Zijn ogen gleden naar de appartementen achter zijn pension. Zijn ogen bleven haken op de vierde etage, waar een jonge vrouw wat kledingstukken op een wasrekje hing. Er was in haar beweging iets wat hem bekend voorkwam. Toen ze zich na enkele minuten omdraaide en haar balkondeur weer achter zich dichttrok, herkende hij haar: Tessa van Vliet.

De mondhoeken van André trokken langzaam naar beneden. Woonde zij hier ook, in zijn buurt? Hij voelde in zijn binnenzak en haalde zijn rijbewijs met de bekeuring eruit. Eén ding moest hij wel toegeven: Tessa van Vliet liet zich niet snel manipuleren. Ze was ervan overtuigd dat ze als agente in zijn situatie juist had gehandeld. Hij had inderdaad veel te hard gereden en kon daar helemaal niets tegen inbrengen. Dat wilde hij ook niet; daar was hij meteen duidelijk in geweest. Eigenlijk was het niet fair van hem onder die bekeuring uit te willen komen. Ze had het gelijk aan haar kant. Zijn overtreding was geen kleintje geweest. Hij moest zich eigenlijk schamen voor zijn schandalige weggedrag. Tessa had zich als een goede, onberispelijke agente gedragen. André zuchtte diep. Hij nam zich voor de bekeuring meteen te betalen zodra hij de beschikking binnen zou krijgen. Hij mocht het haar niet langer kwalijk nemen dat ze niet wilde meewerken aan het wegmoffelen van zijn overtreding. En Wierda ook niet. Een toffe kerel, met een gezonde belangstelling voor motoren. Dat was André wel duidelijk geworden toen Ernst op die parkeerplaats met bewondering naar zijn mooie BMW BOXER keek.

In de woonkamer nam André zijn mobiele telefoon in de hand. Hij moest snel aan een maaltijd zien te komen. Het was al acht uur geweest, en zijn maag knorde. Lang hoefde hij niet na te denken. Op het bureau had hij het nummer van een pizzeria in de buurt genoteerd. Hij zou een pizza laten bezorgen. Dat zou zijn honger voor vandaag wel stillen. André drukte het nummer in en gaf zijn bestelling door. Tot het moment dat de pizzakoerier aanbelde, ging hij aan de eettafel zitten en nam hij alvast een paar dossiers door.

Ondanks de tijdrovende afhandeling van het ongeval op de snelweg, waar twee vrachtwagens met elkaar in botsing waren gekomen, was Tessa nog op tijd thuis. Haar appartement lag erbij zoals ze het vrijdagmiddag had verlaten om naar 'De wijde blik' te gaan. Terwijl ze zich omkleedde, herinnerde ze zich haar gesprek met Hanneke weer. Peinzend hing ze haar politie-uniform aan de kast en ze nam zich voor vanavond een uurtje naar Jessica te gaan. Er was iets niet in de haak met beide zusjes; dat was duidelijk. Hanneke maakte zich zorgen, en dat zat Tessa enorm dwars. Hanneke stond altijd zo vrolijk en positief in het leven. Er moest iets zijn. Ze wilde erachter komen waarom Jessica het contact met Hanneke bewust uit de weg ging. Tessa kon niets zinnigs bedenken. Daarom wilde ze er meer van weten. Ze hoopte dat het een kleinigheidje was, iets wat met een verhelderend gesprekje uit de weg kon worden geholpen. Ze kookte een eenvoudige, snelle maaltijd, hing een wasje aan een rek op het balkon en verliet om halfacht haar woning op de vierde etage.

Jessica woonde niet zo ver van Breda, in het nabijgelegen Oosterhout. Ze woonde daar al twee jaar samen met Peter Struik. Aan trouwen wilden beiden nog lang niet denken, tot groot verdriet van Sjaantje en Herman Bijl. De ouders van Jessica hadden er eerst veel ophef over gemaakt. Het strookte niet met hun bijbelse normen ongetrouwd bij elkaar te wonen. Als Peter echt van hun dochter hield, vroeg hij haar eerst ten huwelijk. Maar Peter en Jessica hadden zich niets laten gezeggen. Ze waren allebei volwassen en wijs genoeg om die keuze zelf te maken. Ze wilden samen hun leven invullen op de wijze die zij goed achtten. Daar hoorde een huwelijk voorlopig niet bij. Ze hadden voor een andere vorm gekozen: een samenlevingscontract bij de notaris. Uiteindelijk hadden Sjaantje en Herman zich erbij neergelegd. Jessica was vanwege haar hardhorendheid altijd hun zorgenkind geweest. Ze zagen dat Peter zich ondanks hun meningsverschil als een zorgzame, betrouwbare partner ontpopte. Uiteindelijk waren ze ermee gestopt over dit onderwerp door te zeuren. De verstandhouding was daarna weer als vanouds. Het was duidelijk dat Jessica zich niet snel van een standpunt liet afbrengen, dacht Tessa onderweg. Jessica moest dus een heel goede reden hebben om het contact met Hanneke op een laag pitje te houden.

In de straat waar Jessica en Peter woonden, zag Tessa al van een afstand dat hun auto niet voor de deur geparkeerd stond. Even welde teleurstelling in haar op. Jessica was vast niet thuis. Nou ja, dan had ze haar bezoek maar van tevoren moeten aankondigen. Dat risico liep je nu eenmaal bij een onverwachte actie als deze. Maar toen ze uit haar auto stapte en langs het huis liep, zag ze een fiets voor het huis staan. Het bordje met SH, dat slechthorenden doorgaans achter op hun spatbord hadden gemonteerd, verried dat het de fiets van Jessica was. Tessa gluurde door het raam van de woonkamer naar binnen. Daar zag ze Jessica op de bank zitten, met een boek in haar hand.

Jessica trok verbaasd haar wenkbrauwen op toen ze opendeed en Tessa zag staan. 'Kom binnen. Trek je jas uit,' zei ze vriendelijk. Ze articuleerde de woorden duidelijk. Ze hielp Tessa uit haar jack. 'Wat een verrassing, zeg. Lust je koffie, of heb je liever thee?'

'Koffie,' antwoordde Tessa. Ze zorgde ervoor dat Jessica haar vol in het gezicht kon kijken, zodat ze met haar ogen de bewegingen van haar mond kon volgen. 'Is Peter er niet?'

'Peter is een uurtje sporten. Hij komt straks weer.' Jessica gebaarde naar de bank, zodat Tessa kon gaan zitten. Zelf verdween ze in de keuken.

Ze hadden een leuk huis, vond Tessa. Ruim, met een strakke inrichting en weinig tierelantijntjes. Heel anders dan bij Hanneke en Ben, waar het speelgoed van de kinderen momenteel de toon aangaf in de woonkamer. Maar dat kon nu eenmaal niet anders, met drie kleintjes. Als Jessica en Peter over een tijdje zelf kinderen zouden krijgen...

Hier stokten Tessa's gedachten even. Haar eigen gemis aan een partner stak ineens de kop op. Ze was altijd alleen. Ze kon alleen maar dromen over een man en kinderen, en geen enkel plan voor de toekomst maken. De eenzaamheid overviel haar. Straks zou Peter thuiskomen voor Jessica. Maar zelf zou ze thuiskomen in een leeg appartement, waar niemand op haar wachtte.

Jessica stond ineens met een dienblad voor haar neus en maakte een einde aan haar gedachten door een mok koffie voor haar neer te zetten. Ze nam plaats tegenover Tessa.

'Wat brengt jou hier? Meestal bel je om op visite te komen.'

'Ik weet dat het onverwacht is, maar ik wil graag met je praten, Jessica. Het kan niet langer wachten.'

'Dat klinkt ernstig.' Jessica glimlachte en dronk van haar koffie.

'Ik ben vrijdagavond bij Hanneke geweest,' begon ze met enige aarzeling in haar stem, zoekend naar de juiste woorden. Ze kon maar beter meteen duidelijkheid geven over haar komst en er niet omheen draaien.

'Hanneke...' Er trok een schaduw over Jessica's gezicht. 'Heeft zij je soms naar mij gestuurd?'

Tessa wist meteen zeker dat Hanneke zich niets verbeeldde. Er was iets vreemds in Jessica's houding. Ze reageerde zo lichtgeraakt.

'Nou nee, dat was mijn eigen keuze.'

'Het lijkt er niet op. Weet Hanneke dat jij hier bent?'

Tessa schokschouderde. 'Hanneke weet niet dat ik op dit moment bij je ben. Ik heb haar wel gezegd dat ik deze week naar je toe wilde gaan.'

Jessica schudde haar hoofd en zuchtte diep. 'Er is echt niets aan de hand, Tess. Ik wil alleen maar... wat afstand. Hanneke heeft geen fulltimebaan meer, zoals ik. Het lukt me niet meer haar wekelijks te bezoeken. Ik heb het zo druk.'

'Is dat werkelijk zo, Jessica? Hanneke maakt zich zorgen om jullie relatie. Han en jij waren altijd zo close met elkaar. Waarom die afstand? Ze mist je. Je bent verzot op haar kindertjes, en de kleintjes missen je ook.'

Jessica stond op en ging voor het raam staan, dat uitkeek op de tuin, met haar rug naar Tessa toe. Het duurde lang voordat ze zich weer omdraaide.

Tessa zag tranen in Jessica's ogen en schrok. Jessica had haar niet de waarheid verteld. Er moest meer zijn. 'Jess, ik wil me nergens mee bemoeien, maar je weet dat Hanneke en ik al vanaf de schoolbanken vriendinnen zijn. Ik vind het vreselijk werkeloos toe te zien dat Hanneke verdriet heeft en zich zorgen maakt om jou.'

'Hanneke is mijn liefste zus. Altijd geweest. Dat weet jij ook. Maar... ik kan er niet over praten, Tess. Ik heb die afstand voorlopig nodig. Het kan niet anders.'

In de ogen van Jessica las Tessa angst en wanhoop.

Jessica frommelde een zakdoekje in elkaar en trok er daarna zenuwachtig aan. Vervolgens frommelde ze het weer in elkaar.

Tessa nam zich voor om niet langer over de situatie door te praten. Dat had geen zin. Jessica zou vrijwillig moeten vertellen wat haar dwarszat.

'Als het moment komt dat je erover wilt praten, staat mijn deur altijd open.'

'Dank je,' zei Jessica. 'Dat zal ik niet vergeten.'

Tessa dronk haar mok koffie leeg en informeerde voorzichtig naar Jessica's werk. Ze verzorgde de boekhouding van een computerbedrijf en had het er prima naar haar zin. Toen Peter een tijdje later met zijn sporttas binnenkwam, stond Tessa op. 'Ik ga. Morgen wordt het weer een drukke dag. We hebben tijdelijk een nieuwe teamchef.' Met haar jack over haar arm vertelde Tessa wat ze vanmorgen had gedaan.

'Je hebt je nieuwe teamchef een bekeuring gegeven? Nou, jij durft,' lachte Peter.

Jessica lachte mee, maar het ging niet van harte.

Met een bezwaard gevoel verliet Tessa daarna hun woning. Het probleem tussen Hanneke en Jessica was voorlopig nog niet opgelost. Naar het zich liet aanzien, was het ernstig.

Toen ze haar appartement binnenliep, sprong de eenzaamheid op haar af. Die zorgde voor een sombere stemming. Ze probeerde alle voordelen van het alleen zijn op te noemen. Dat werkte vaak goed. Dan raakte ze haar somberheid kwijt. Maar vanavond niet. Ze besloot niet te laat naar bed te gaan.

Vanuit haar slaapkamerraam keek ze naar het gebouw achter het appartementencomplex. Een keurig pension. Op de tweede etage brandde volop licht. Die woning had een maand leeg gestaan, wist ze. Maar nu was er dus weer een nieuwe huurder. Ze schoof de slaapkamergordijnen dicht.

3

Stefan Merkelbach, een slanke man van vijfendertig jaar met donker haar en donkere ogen, wierp zijdelings een blik op de klok in zijn juwelierswinkel. Het was bijna acht uur, een uur voor sluitingstijd op deze koopavond. Rianne Dinkel, zijn parttime medewerkster, ordende een stel gouden halskettingen die ze zojuist aan een klant had getoond. Het duurste exemplaar had ze verkocht; dat was goed voor de omzet van deze dag. Er lag een tevreden glimlach op het gezicht van Rianne. Stefan slikte moeizaam. De spanning in zijn lijf nam toe. Zijn gedachten verplaatsten zich naar sluitingstijd.

'Het is nu rustig, Rianne. Je mag vanavond een uurtje eerder naar huis. Het lukt me verder wel alleen,' zei hij zo normaal mogelijk.

Rianne keek verrast op. 'Nou, dat laat ik me geen twee keer zeggen,' zei ze, en ze schoof de doos met halskettingen in de vitrine, die ze met een sleutel afsloot. 'Weet u het zeker? Het kan nog druk worden het laatste uur.'

Stefan knikte haar geruststellend toe. Hij had haar nog nooit een uurtje eerder naar huis gestuurd. Ook niet als er weinig klandizie was. Hij hoopte dat ze zijn nervositeit niet opmerkte. 'Ga maar. Het lukt wel,' zei hij.

Rianne haalde neuriënd haar jas, wenste hem nog een prettige avond en verliet met een 'tot morgen, meneer Merkelbach' zijn winkel.

Stefan wreef de zweetdruppels van zijn voorhoofd. Het eerste onderdeel van zijn plannetje was geslaagd. Riannes aanwezigheid werkte extra op zijn zenuwen. Het was goed dat ze weg was, en hij het rijk voor zich alleen had. Zo normaal mogelijk werkte Stefan deze koopavond verder. Hij was zich bewust van de camerabewaking in zijn winkel. Om halfnegen hielp hij nog een klant aan een paar gouden oorbellen. Toen hij de winkeldeur om even voor negen afsloot, zag hij aan de overkant van zijn zaak een bekende gestalte staan. Dat was

Joop Van Dal, een goede vriend. Zijn hart bonkte harder. Een kort knikje. Daarna liet hij het elektrische rolluik voor de etalage zakken. Verder deed hij alles zoals altijd. Hij schakelde het alarm in. Toen hij daarna de kluis achter in de winkel opende om enkele kostbare Rolex-horloges op te bergen, slikte hij. Zijn oog viel op een vliegticket van de KLM. Heleen was twee weken geleden al vertrokken naar Argentinië, nadat ze akkoord waren gegaan met een scheiding van tafel en bed. Dat was nodig geweest voor het oog van de buitenwereld. Hij hield nog onverminderd veel van haar, maar ze konden niets riskeren. Straks, als alles achter de rug was, zou hij haar volgen en ook naar Argentinië vertrekken. Dan zouden ze nooit meer zorgen hebben over zijn winkel en hun levensonderhoud. Heleen was daar op dit moment op zoek naar een prachtige woning. Het liefst een vrijstaand huis met veel grond eromheen. Geld speelde straks geen rol meer. Ze zouden zich alles kunnen permitteren. Stefan nam het vliegticket eruit en duwde het zo onopvallend mogelijk in de binnenzak van zijn colbert. Het was niet slim het ticket in de kluis te laten liggen. Hij wilde geen slapende honden wakker maken. Met bevende handen tastte Stefan vervolgens achter in de kluis naar een zwart fluwelen zakje. Voorzichtig nam hij het in zijn hand. De bewakingscamera legde al zijn handelingen vast. Er was niets geheimzinnigs aan een inspectie van zijn kluis. Het zou nu niet lang meer duren. Langzaam opende Stefan het zakje. De diamantjes schitterden bij het felle lamplicht in zijn ogen. Op dat moment hoorde hij een geluid, heel dichtbij. Hij voelde meteen daarna een klap tegen zijn achterhoofd, waardoor het hem duizelde en hij niet langer in staat was te blijven staan. Alles werd zwart voor zijn ogen. Dat zo'n klap zo pijnlijk kon zijn, verbaasde hem. Dat had Joop vast niet zo bedoeld. Hij merkte niet meer dat het fluwelen zakje uit zijn hand werd getrokken Even later rinkelde het alarm in de juwelierswinkel. Van dat geluid kwam Stefan weer enigszins bij uit zijn bewusteloze toestand. Hij voelde met zijn hand aan de pijnlijke kant van zijn achterhoofd en schrok van het bloed aan zijn vingers.

Was dat nu nodig geweest, vroeg hij zich af terwijl hij overeind probeerde te klauteren. In de verte hoorde hij de loeiende sirenes van een politieauto die snel dichterbij kwam. Wat een geluk dat hij als juwelier goed verzekerd was tegen dergelijke calamiteiten. Hij miste het fluwelen zakje met de kostbare diamanten, die een fortuin vertegenwoordigden. De marktwaarde bedroeg bijna een miljoen euro.

Vijf minuten later boog een politieagent zich over hem heen. Een ernstige man met een open gezicht die zich als Bontekoe voorstelde. 'Ik bel meteen een arts voor die hoofdwond,' zei de agent. Stefan vond het allang goed. De wond bloedde nog steeds.

'Bent u in staat nu al enkele vragen te beantwoorden?'

Stefan zag een andere agent langs Bontekoe lopen en begreep dat men naar sporen zocht van de overval. Hij wees naar de geopende kluis. 'Ik kan u niets vertellen. Ik heb niets gezien. Opeens kreeg ik een klap tegen mijn hoofd. Toen werd het zwart voor mijn ogen. Maar de bewakingscamera heeft vast alles opgenomen.'

'We zullen de beelden vanavond nog bekijken, Merkelbach.' De agent gaf zijn collega opdracht zich over de band van de beveiligingscamera te ontfermen.

Er waren intussen enkele dagen verstreken, waarin de nieuwe teamchef duidelijk orde op zaken had gesteld binnen het korps. Tessa had vanaf haar tweede werkdag al bewondering gekregen voor de wijze waarop Bontekoe het werk op het bureau aanstuurde. Hij was duidelijk, recht door zee, collegiaal, en wanneer hij lachte, verschenen er kuiltjes in zijn wangen. Over hun eerste ontmoeting op de parkeerplaats, waarbij zij hem een bekeuring had gegeven, had hij zich niet meer beklaagd. En vanmorgen had ze ontdekt dat de teamchef tijdelijk op de tweede etage van het pension achter haar appartement was komen wonen. Ze had hem ontmoet op het parkeerterrein, waar hij zijn motor had staan.

'Goedemorgen, chef,' had ze hem verrast begroet.

'Goedemorgen, Tessa. Kan ik je misschien een lift geven naar het bureau?'

Tessa schudde haar hoofd. 'Nee, dank u.' Ze huiverde bij het vooruitzicht achter op zijn motor mee te rijden. 'Het is vandaag mijn vrije dag. Ik ga naar mijn vriendin, en vanmiddag nog even naar mijn ouders.'

'Dat klinkt gezellig. Waar woon jij eigenlijk? In een van die appartementen neem ik aan.' André wees naar het gebouw met zes verdiepingen.

'Ja, op de vierde etage.'

'Ik woon momenteel op de tweede etage van dat pension daar.' Hij wees naar het pension waarvan Tessa wist dat het een maand had leeggestaan. 'Het is ingericht met een paar schamele meubeltjes, maar je kunt altijd bij me terecht voor hulp of iets dergelijks.'

Tessa fronste haar wenkbrauwen. 'Ik ben gewend voor mezelf te zorgen, chef. Ik heb geen hulp van anderen nodig.' De woorden rolden iets te defensief uit haar mond.

André grinnikte. 'Er wordt vast goed voor je gezorgd. Ben je getrouwd of heb je soms een vriend?'

Tessa schudde haar hoofd. 'Nee, ik woon alleen, en het bevalt me best.' Ze wilde een eind maken aan het gesprek. Het werd te persoonlijk. Daar hield ze niet van.

'Misschien kunnen we binnenkort na werktijd samen een hapje eten,' stelde André voor terwijl hij een been over zijn motor zwaaide. 'Ik kan redelijk goed koken, al zeg ik het zelf.'

Tessa keek hem verward aan. Was dit een uitnodiging? Was hij soms vergeten dat ze hem onlangs een bekeuring had gegeven?

'Misschien... Hm, ja, dat lijkt me wel wat,' wist ze aarzelend uit te brengen voordat hij haar verder een prettige vrije dag wenste en wegreed.

Tessa opende de deur van haar auto. Tijdens de autorit naar het huis van Hanneke moest ze steeds aan de ontmoeting van vanochtend denken. André was best een aardige vent. Veel aardiger dan ze de eerste dag had gedacht. Hij wilde zelfs voor haar koken. Een glimlach gleed om haar mond. Ze had niet gedacht dat hij zo vriendelijk kon zijn. Misschien moest ze hem eerst een keer uitnodigen. Dan kon ze Ernst Wierda en zijn vrouw Baukje ook meteen vragen.

Tessa reed haar auto een halfuurtje later voor het huis van Hanneke. De deur werd meteen opengedaan.

Niek stond naast Hanneke, met zijn duim in de mond. Hij lachte blij toen hij zag dat Tessa naar de deur liep. 'Tante Tess...' brabbelde hij opgetogen, en hij hief zijn armpjes enthousiast naar haar op. 'Kimmy zit op school.'

Tessa tilde hem op en kuste hem op zijn kruin. 'Dat weet ik toch. Over een jaartje mag jij ook.'

Niek knikte heftig. Hij verveelde zich weleens, nu zijn grote zus iedere dag naar school ging. Hij was overdag zijn speelkameraadje kwijt. 'Zitten er snoepjes in jouw tas?' vroeg hij nieuwsgierig.

Tessa glimlachte naar het gehaaide ventje, kuste daarna Hanneke ter begroeting op haar wang en liep de woonkamer in, waar Thijs in de box lag. Ze klakte met haar tong naar de baby, en het ventje gaf haar een stralende glimlach. Daarna zocht ze in haar tas naar de zachte snoepjes die ze meestal voor Kim en Niek meenam. Het volle zakje gaf ze aan Hanneke. Op een geschikt moment deelde die dan de inhoud uit aan Niek en Kim.

'Als mamma en tante Tess zo meteen koffiedrinken, krijg jij een paar snoepjes, Niek,' beloofde Hanneke.

Terwijl Hanneke naar de keuken verdween voor de koffie, boog Tessa zich opnieuw over de box. Thijs lachte meteen twee tandjes bloot. Tessa aaide de bolle wangen van de baby en voelde een steek van jaloezie. Wat Hanneke had, zou zij ook zo graag willen hebben: een man en een paar kinderen. Zou dat nog voor haar weggelegd zijn? Haar leeftijd ging nu duidelijk een rol spelen. Ze wilde niet te oud zijn om kinderen te krijgen. Tessa beet op haar lip.

Hanneke zette de dampende koppen koffie op de salontafel. Niek volgde haar als een schaduw. Hij juichte toen zijn moeder hem een paar snoepjes uit het zakje in een schaaltje gaf. Dat het ventje zo blij was met de meegebrachte lekkernij, deed hun beiden plezier.

Tessa keek naar het glunderende gezicht. Ze ging tegenover Hanneke zitten, die haar een plakje cake aanbood.

'En... ben je deze week nog bij Jessica geweest?' stak Hanneke meteen van wal.

Tessa las de spanning in haar ogen en knikte. 'Ja, maandagavond.'

'Waarom heb je me niet gebeld? Vertel. Heeft ze je een verklaring gegeven voor haar gedrag? Waarom... Is ze soms boos op me? Heb ik iets verkeerd gedaan... of gezegd?'

'Sorry dat ik je niet eerder heb gebeld. Ik wilde het je liever onder vier ogen vertellen.'

'Heeft Jessica je iets verteld?'

Tessa schudde haar hoofd. 'Nee, ze heeft me niets verteld, Hanneke. Maar ik denk wel dat je gelijk hebt. Er zit haar wel degelijk iets dwars. Ze reageerde nogal geschrokken toen ik haar confronteerde, en werd zelfs een beetje emotioneel. Ze kan er niet over praten, zei ze.'

'Vreemd,' zuchtte Hanneke. 'Erg vreemd. Ik vind dit heel moeilijk. We hadden altijd een goed contact. Daarom begrijp ik het niet.'

Tessa zag tranen van onmacht in Hannekes ogen springen. 'Ik ook niet.' Tessa sloeg een arm om Hannekes schouder. 'Zullen we binnenkort samen een avondje naar Jessica gaan? Of misschien wil je er liever een keer samen met Ben naar toe. Dan kom ik wel op de kinderen passen.'

'Dat is een goed idee. Kijk, wat mij betreft is er helemaal niets gebeurd. En als dat wel zo is, wil ik daar het fijne van weten. Ik laat me niet in een hoekje duwen, Tessa. Als er iets is, moet het rechtgezet worden.'

'Ik ben het met je eens,' antwoordde Tessa. 'Misschien komt ze los als jij het haar op de man af vraagt.'

Samen dronken ze daarna hun koffie en keuvelden ze verder over van alles en nog wat.

Even later stond Hanneke op. 'Lust je nog een kop koffie? Ach, ik breng eerst Thijs even naar bed.'

Thijs lag al te slapen in de box, terwijl Niek met zijn duploblokken zat te spelen.

'Goed, dan schenk ik onze koppen nog een keer vol,' bood Tessa gedienstig aan. Ze liep al naar de keuken, waar de koffiepot nog half vol was. Niek volgde Hanneke met Thijs naar boven. Zijn snoepjes waren intussen allemaal op en hij zeurde om nog een paar lekkertjes in zijn schaaltje.

Hanneke toonde zich onverbiddelijk. 'Nee, Niekje. Je krijgt zo meteen nog een Liga van mamma. Dat is veel beter voor je.'

Tessa hoorde hun gekakel aan terwijl ze beiden de trap op liepen. Ze grinnikte. Alle kinderen waren ook hetzelfde. Dol op snoep en zoetigheid.

Thijs sliep in de armen van Hanneke gewoon door.

Tessa zette de koppen koffie op de salontafel en zag de plaatselijke krant opengeslagen op de andere tafel liggen. Boven aan de derde pagina las Tessa vanaf een afstand een vet gedrukte kop: 'Meisje aangerand in Almkerk'. In Almkerk woonden Jacco en Nicolien, dacht ze gealarmeerd. Het krantenbericht zag er bijzonder ernstig uit, want in dat kleine plaatsje gebeurde nooit iets bijzonders. Ze liep naar de tafel, waar ze zich over de krant boog. Ze las de korte mededeling met gefronste wenkbrauwen. Gisteravond om zeven uur was het gebeurd. Het slachtoffer was een jonge vrouw van achttien jaar. De dader was helaas ontsnapt en spoorloos verdwenen. Er was ook geen duidelijk signalement: de man had een donkere muts op gehad. Men vroeg zich af of er soms getuigen waren geweest die iets van het misdrijf hadden gezien. Het telefoonnummer van de regiopolitie stond erbij. Het publiek werd aangemoedigd te reageren.

Hanneke kwam weer naar beneden met Niek op haar arm. 'O, heb je het ook gelezen van die aanranding in Almkerk? Het wordt steeds gekker. Zoiets afschuwelijks gebeurt tegenwoordig dus ook hier op het platteland, en niet alleen in de grote steden.'

'Ik schrik er toch van dat het zo dichtbij is gebeurd. In ieder geval niet ver van Jacco en Nicolien vandaan.' Tessa sloeg de krant dicht en ging weer tegenover Hanneke zitten, die Niek een ligakoek gaf met een bekertje limonade.

'Je zou die kerel toch iets aandoen,' opperde Hanneke wraakzuchtig.

Tessa staarde voor zich uit. In de praktijk was het moeilijk aanranders te arresteren. Ze gingen vaak sluw te werk en kwamen zelf meestal niet uit de directe omgeving van de plaats van het delict.

Aan het eind van de ochtend, toen Tessa naar 'De wijde blik' wilde vertrekken, maakten Hanneke en zij de afspraak dat Tessa vanavond op de kinderen zou komen passen, zodat Hanneke met Ben naar Jessica kon gaan.

'Om zeven uur ben ik bij je,' beloofde Tessa. 'Ik hoop echt dat Jessica en jij vanavond alle obstakels uit de weg kunnen ruimen.'

'Ik ben nu al nerveus,' zuchtte Hanneke.

Ze lachten en zwaaiden elkaar gedag.

Tessa stapte in de auto en reed tien minuten later het erf op van 'De wijde blik'. In de woonkamer zaten haar ouders al te wachten met de broodmaaltijd. Fikkie lag trouw aan vaders voeten.

Het eerste wat moeder zei, was: 'Heb je het al gehoord, Tess? Er is een meisje aangerand in Almkerk. Vader heeft het van Nicolien gehoord; die belde vanmorgen al vroeg op. In het dorp gonst het nu van de geruchten.'

'Ja, ik heb het bij Hanneke in de krant gelezen.'

'Zo zie je maar weer. Er is hier volop werk, kind. Kun jij je uniform niet een paar uurtjes aantrekken en helpen die zaak snel op te lossen?' mengde vader zich nu ook in het gesprek.

'Nee, pa,' antwoordde Tessa, 'zo gaat dat niet. Almkerk valt onder een ander regiokorps dan het korps waarvoor ik werk.'

'Jij bent toch politieagent?' Vader keek haar verwonderd aan.

'Heus, mijn collega's in deze regio zullen alles in het werk stellen om die kerel op te sporen,' wist Tessa met zekerheid te zeggen. 'Het hangt echter af van mogelijke getuigen die iets gezien hebben. Als niemand zich meldt, zal het voor de politie erg moeilijk worden de dader op te sporen.'

Op vaders gezicht verscheen een ontevreden trek. 'Zoiets mag niet ongestraft blijven, hoor. Iedereen in deze omgeving is in rep en roer,' mopperde hij.

'Ik ben het volkomen met u eens,' gaf Tessa zich gewonnen. Ze wilde liever niet verder discussiëren over het onderwerp. Vaders zicht op dergelijke zaken was vaak erg zwart-wit. Ze liep altijd het risico verzeild te raken in een discussie die eindigde in een felle woordenwisseling.

Ze aten samen stilzwijgend verder. Na het dankgebed ging vader in een comfortabele stoel voor het raam zitten. Soms deed hij een dutje, maar deze keer bleef hij voor zich uit staren. Tessa hielp moeder in de keuken met de voorbereidingen voor het avondeten.

'Pap is helemaal van slag door die gebeurtenis in Almkerk. Nicolien was vanmorgen ook overstuur aan de telefoon toen pap het gesprek aannam. Ze kent het slachtoffer namelijk. Het is een jong meisje bij hen uit de straat. Pap loopt zich vreselijk op te winden over de situatie,' fluisterde moeder zachtjes, zodat vader vanuit de kamer niets kon horen.

'Als er geen getuigen opdagen, zal de politie de dader waarschijnlijk nooit kunnen arresteren.' Tessa wierp de geschilde aardappelen in een pan met water.

'Afschuwelijk, dat dergelijke dingen gebeuren,' zei moeder met een zorgelijke zucht.

Tessa knikte instemmend. Ze wist dat er dagelijks nog veel ergere delicten plaatsvonden. Daar wilde ze haar ouders niet mee belasten. Ze leefden in deze omgeving vrij rustig, ver van de grote criminele wereld vandaan. Ze was niet voor niets graag thuis. Hier kon ze zich heerlijk ontspannen en tot rust komen.

In de late namiddag liep ze met vader naar het agrarisch bedrijf, waar Jacco druk bezig was met het verzendklaar maken van de groenten die vanmorgen op het land waren geoogst. Hier was ze opgegroeid, en tijdens schoolvakanties had ze altijd actief meegeholpen. Het voelde vertrouwd. Ze zag vader met trots naar Jacco kijken. Het was goed dat Jacco zijn levenswerk nu voortzette. Zelf had ze verstek laten gaan door ergens anders te gaan wonen en werken. De felbegeerde boerenschoonzoon die haar wellicht binnen het familiebedrijf had kunnen houden, was nooit komen opdagen.

Toen haar gedachten weer afdwaalden naar een man met wie ze dolgraag haar leven wilde delen, hoorde ze plots het geluid van haar mobiele telefoontje. Het was Hanneke. Aan zichzelf kon ze nu niet langer blijven denken. Hanneke vertelde haar met gebroken stem dat Ben het niet eens was met haar plannetje vanavond bij Jessica op bezoek te gaan. Hij wilde er niet aan meewerken. Jessica moest de eerste stap zelf maar zetten. Jessica haalde zich immers dingen in haar hoofd die er niet waren. Hanneke had in zijn ogen niets gedaan wat verkeerd was.

Tessa fronste haar wenkbrauwen bij dit bericht. Ben bood duidelijk tegenstand. Dat was opmerkelijk. 'Wat doe je nu, Hanneke? Ga je vanavond alleen?'

'Nee,' antwoordde Hanneke met trillende stem. 'Ik ga er voorlopig niet heen. Ben was echt boos toen ik het voorstelde.'

Tessa dacht even na. 'Dan ga ik komende week nog wel een keer naar Jessica. Misschien heeft ze intussen nagedacht over de situatie. Ik hoop dat ze me alsnog in vertrouwen wil nemen.'

'Dat stel ik op prijs, Tess. Echt.'

Tessa hoorde een korte snik toen ze Hanneke gedag zei en de verbinding verbrak. Ze liep naar buiten en staarde naar de lucht, waar witte stapelwolken voor de zon schoven. Tijdens het laatste telefoongesprek was haar duidelijk geworden dat het relatieprobleem tussen de beide zusjes waarschijnlijk niet eens bij Hanneke lag, maar bij Ben. Waarom reageerde Ben anders zo negatief? Het lag voor de hand dat Ben zijn schoonzusje op een of andere manier had gekwetst en dat hij te trots was om dat recht te zetten. Die gedachte liet Tessa niet meer los. Het volgende bezoekje bij Jessica moest haar meer duidelijkheid geven omtrent dit vermoeden, hield ze zich voor. Ze zou het Jessica zonder omhaal van woorden vragen.

Tessa reed na het avondeten terug naar Breda. Ze aarzelde een moment toen ze het centrum naderde. Het was koopavond, en ze had nog wat boodschappen nodig, maar de overvolle parkeerplaatsen joegen haar toch naar huis. Morgen had ze nog een dag vrij; dan kon ze alsnog 's morgens vroeg naar het centrum gaan om de nodige boodschappen te doen.

Eenmaal in haar appartement was ze blij dat het nog vroeg was. Na het journaal van acht uur kondigde de televisie een spannende detective aan. De film hield er tot het laatst de spanning in. Om elf uur vond Tessa het welletjes en maakte ze aanstalten om naar bed te gaan.

Voordat ze de gordijnen van haar slaapkamer dichtschoof, keek ze nog even naar de tweede etage van het pension, waar de nieuwe teamchef woonde. Er brandde geen licht; alles was donker. De chef lag waarschijnlijk allang op bed vanwege de drukke dag die hij achter de rug had. Ze herinnerde zich het gesprek van vanochtend weer. Het was een aardige kerel, André Bontekoe. Hij wilde zelfs een keer voor haar koken. Tessa vroeg zich af of hij misschien getrouwd was of al een relatie had. Natuurlijk. Alle aardige mannen hadden een vrouw of een relatie; dat was met André vast niet anders. Misschien moest ze dat etentje voorlopig nog maar even uitstellen. Ze wilde niet al te persoonlijk worden nu ze bij elkaar in de buurt woonden. Ze waren collega's, niet meer en niet minder. Privébezoekjes over en weer moesten nog maar een tijdje wachten. Met een chef als André Bontekoe wilde ze eerst de kat uit de boom kijken. Zo snel liet ze zich niet inpakken door een man die vriendelijk aanbood voor haar te koken.

De volgende dag maakte de krant melding van een roofoverval op juwelier Merkelbach in het centrum van de stad. En ook van enkele drugsjongeren die actief bezig waren met de verkoop van verdovende middelen op de schoolpleinen van het voortgezet onderwijs. Tessa las de berichten vluchtig door. Ze kreeg de indruk dat haar collega's een drukke dag achter de rug hadden. De dader van de roofoverval op de juwelierszaak was nog niet gepakt. Een nauwkeurig signalement kon men niet geven. Hij was er met een flinke buit aan sieraden vandoor; dat was alles wat de krant er over kwijt wilde. Verder las ze dat er bij de voetbalwedstrijd tussen NAC Breda en Ajax die voor zondagmiddag gepland stond, rellen werden verwacht. Tessa zuchtte, want dat betekende dat zij zondagmiddag ingezet zou worden om met haar collega's de openbare orde rondom het stadion te bewaken. Tessa vouwde de krant weer in elkaar en wierp hem van een afstand in de lectuurmand. Ze had een hekel aan voetbalwedstrijden die uit de hand dreigden te lopen. Waarom kon een mens niet op normale wijze van deze sport genieten? Er waren altijd wel een paar van die raddraaiers die het voor de echte voetballiefhebbers wisten te bederven.

Tessa nam na het ontbijt een douche en reed al vroeg naar het centrum. Ze haalde alle benodigde boodschappen in huis. De verdere dag besteedde ze aan het schoonmaken en opruimen van haar appartement. Later op de middag liet ze zich met een spannende roman in de stoel bij het raam zakken. Ze nam graag de tijd om te lezen, en vanaf deze plaats kon ze ook over de hele wijk uitkijken. Om zes uur rekte ze zich uit. Ze had honger en herinnerde zich dat ze vanmorgen in de stad een heerlijke kant-en-klare maaltijd had gekocht. Het maaltje hoefde maar een paar minuten in de magnetron opgewarmd te worden. Ze stond op en wilde naar de keuken lopen, maar het geluid van haar mobieltje hield haar tegen. In het venstertje zag ze dat zich een onbekende beller aankondigde.

'Met Tessa,' zei ze aarzelend.

'Ja, met André Bontekoe, je achterbuurman en collega.'

'O... hallo.'

'Kun je over een kwartiertje naar mijn pension komen? Ik heb met eten op je gerekend.' Zijn stem klonk enigszins gezaghebbend.

Tessa fronste haar wenkbrauwen. André wilde er blijkbaar geen gras over laten groeien. 'Nou, nee. Het komt nu niet uit,' diende ze hem meteen van repliek. 'Ik heb andere plannen, chef.'

'Kun je die plannen niet wijzigen? Ik heb dringend je hulp en advies nodig bij een lopende zaak. We kunnen een en ander tijdens een eten bespreken.'

Tessa zuchtte onhoorbaar en rolde met haar ogen. 'Tja, dat moet dan maar,' gaf ze zich met tegenzin gewonnen. Van haar voornemen voorlopig maar de kat uit de boom te kijken, kwam niets terecht. Ze verbrak de verbinding. Iets in zijn stem had alarmerend geklonken. Ze keek op de klok. Over een kwartiertje verwachtte hij haar. De kant-en-klare maaltijd die ze voor zichzelf in petto had, kon ze morgen ook nog opwarmen en gebruiken.

Op de afgesproken tijd belde ze aan bij zijn voordeur. André liet haar binnen.

Tessa zag dat hij nog in uniform was. Zijn blauwe politiejas en -pet hingen aan de kapstok.

Hij stuurde haar meteen door naar de woonkamer, met de woorden: 'Ga maar vast aan tafel zitten. Ik heb een nasischotel meegenomen van de Chinees; die moet nog opgewarmd worden.'

'Ik herinner me dat u gezegd hebt dat u zo goed kon koken,' zei Tessa verbaasd. 'U laat het anderen doen?'

André verontschuldigde zich. 'Sorry, vandaag kon het niet anders. Ik ben zo bij je.'

Tessa liep zijn woonkamer in en keek rond. De kamer zag er ongezellig uit met de schaarse meubelstukken. Er was geen enkel fotolijstje met de afbeelding van een vrouw of gezin te zien. In een hoek stonden een stel dozen op elkaar gestapeld. Een laptop lag op tafel met stapels dossiers ernaast die ze meteen herkende, omdat ze afkomstig waren van het bureau.

André kwam binnen met een dampende schaal. De geur van het oosterse gerecht verspreidde zich meteen. 'Lang leve de magnetron,' zei hij. 'Ga zitten.'

Tessa schoof aan, en André haalde borden, bestek en een kan water uit de keuken.

'Fijn, dat je meteen kon komen.' Hij ging tegenover haar zitten. 'Schep maar op.'

'Ik ben gewend eerst te bidden,' zei ze.

'Oké, dat is een goede gewoonte. Ik vergeet het wel eens.'

Ze vouwden hun handen, en er volgde een korte stilte.

Toen Tessa haar bord daarna volschepte, ging Andrés telefoon over.

André luisterde aandachtig, knikte een keer en zei dat hij er morgenvroeg op het bureau meteen werk van zou maken. Vervolgens slaakte hij een diepe zucht. 'We hebben er met die roofoverval op juwelier Merkelbach een lastige zaak bij gekregen. Daar wil ik het zo meteen met je over hebben, maar eerst wil ik iets anders zeggen...' André schepte zijn bord ook vol met nasi. 'O... de satéstokjes...' Hij liet de opscheplepel in de schaal vallen en liep haastig terug naar de keuken. 'Het lekkerste was ik bijna vergeten,' zei hij glimlachend toen hij opnieuw de kamer binnenkwam met nog een dampende schaal.

'Zeg dat wel,' zei Tessa toen ze de overheerlijke saté in saus zag liggen. 'Mijn lievelingskostje, chef.'

André schoof met genoegen drie stokjes met vlees en saus op haar bord. 'Tessa, het moet me van het hart. Onze eerste kennismaking op dat parkeerterrein was misschien niet zo best. Jij gaf me een bekeuring, en ik was daar erg boos over.'

Tessa keek hem verontwaardigd aan. Wilde hij haar alsnog met die kwestie lastigvallen en proberen onder zijn geldboete uit te komen? 'U kunt me niet omkopen met een Chinese maaltijd, chef. Ik ga niet akkoord met het intrekken van die bekeuring.'

'Dat vraag ik ook niet. Die bekeuring zal ik keurig betalen. Het gaat erom dat ik je persoonlijk wil zeggen dat je in het korps een goede politieagent bent.'

'Toch niet vanwege die bekeuring?' Tessa fronste haar wenkbrauwen.

'Jazeker, dat heeft er alles mee te maken. Je hebt daarbij

laten zien dat je goudeerlijk en niet manipuleerbaar bent. Je gaat recht door zee. Dat bewonder ik in je.'

'Bedankt voor het compliment. Ik dacht even dat u alsnog in discussie wilde gaan om mijn werkwijze te kritiseren.'

'Nee,' viel André haar in de rede, 'die bekeuring had ik dubbel en dwars verdiend. Het was mijn eigen schuld. Ik reageerde die ochtend een stuk frustratie van me af door mijn snelheid hoog op te voeren. Dat was erg dom.'

'Het is gebeurd, chef. Laten we het maar vergeten.'

'Oké, zand erover. Ik heb dringend je advies nodig bij een nieuwe zaak, Tessa. Heb je al iets gehoord van die roofoverval bij juwelier Merkelbach?'

'Ik las het in de krant. Zijn er intussen al getuigen die zich hebben gemeld?'

'Nee, tot dusver hebben we niets. Je collega's Claudia van Son en Julian Govers zijn ermee bezig. Maar er klopt iets niet. De eigenaar reageert ietwat gelaten, alsof hij de overval zo snel mogelijk achter zich wil laten. Hij is druk bezig met de geleden schade te regelen bij zijn verzekeringsmaatschappij.'

'Wat is de schade?'

'Een zakje met diamanten. Ze zijn een miljoen waard.'

'Dat is dan wel begrijpelijk, chef.'

'Ik wil jou graag op deze zaak zetten. Je moet het proces-verbaal van de overval eerst maar eens lezen. Verder zijn er video-opnamen die door de bewakingscamera in de winkel zijn gemaakt. Die moet je absoluut zien. Daarna ga je samen met Ernst Wierda naar die juwelier toe om nog eens met hem te praten.'

'Is de overvaller ook duidelijk op de video te zien?'

'Ach, hij ziet eruit zoals overvallers er meestal uitzien. Het is een persoon met donkere kleding, een bivakmuts op zijn hoofd én een bril. Die bril vind ik een beetje merkwaardig. De meeste overvallers met bivakmuts dragen geen bril.'

'U zegt dat er iets niet klopt.'

'Tja, maar dat is intuïtie. Ik heb helaas geen enkel bewijs, alleen het nare vermoeden dat onze juwelier misschien een spelletje speelt met de verzekeringsmaatschappij. Merkelbach kreeg tijdens de overval een klap tegen zijn achterhoofd. Het was geen harde klap. Het kwam zelfs een beetje aarzelend over. De overvaller hield zich duidelijk in. Dat zit mij dwars.'

'Tja, soms zijn dergelijke vermoedens moeilijk te bewijzen.'

'Dat laat ik dan ook graag aan jou en Ernst Wierda over.'

'Ik doe m'n best, chef,' glimlachte Tessa voldaan. Ze voelde zich vereerd met dit speciale verzoek.

Na de maaltijd spraken ze samen op ontspannen wijze nog een poosje over hun opleiding en de carrière die ze tot op heden bij de politie hadden gemaakt.

Om tien uur maakte Tessa aanstalten om naar haar appartement te gaan. 'Bedankt voor het etentje, chef. Het was lekker,' zei ze.

'André,' verbeterde hij haar. 'Het woord 'chef' gebruik je maar op het bureau. Thuis heet ik André.'

'Goed, André. Tot morgen.'

In haar appartement nam ze de krant uit de lectuurmand. Ze las het berichtje van de roofoverval nog eens door. Ze was benieuwd wat er in het proces-verbaal stond, maar bovenal nieuwsgierig naar de video-opnamen.

4

Stefan keek met een chagrijnige blik in zijn ogen naar de deur van zijn juwelierszaak. De deurbel rinkelde, zoals bij iedere klant die binnenkwam. De man en de vrouw in het blauwe dienstuniform waren echter geen klanten. Ze kwamen om hem opnieuw een hele reeks vragen te stellen over de overval die in zijn winkel had plaatsgevonden. Stefan liet een diepe zucht aan zijn lippen ontsnappen. Er was proces-verbaal opgemaakt, de video liet alle beelden van de overval zien. Wat wilden die overactieve politieagenten nu nog meer weten? Ze hadden hem al wel tien keer zijn verhaal laten vertellen.

Stefan zag het politieteam op hem afkomen. Er voer een schok door hem heen toen hij naar het gezicht van de vrouwelijke agente keek. Heleen, flitste het door zijn hoofd. Deze agente toonde een opvallende gelijkenis met Heleen, zijn vrouw. De ernstige, onderzoekende oogopslag van de donkere ogen, zelfs het kuiltje in haar kin. Stefan voelde een rilling over zijn rug lopen.

'Goede... goedemorgen,' stotterde hij, en hij probeerde ontspannen te glimlachen. 'Hebt u de dader al opgepakt?'

Hij probeerde oprechte belangstelling te tonen voor de vorderingen van de politie. Dat werd van hem verwacht. Er trok een kleur van spanning naar zijn wangen toen de op Heleen lijkende agente hem aansprak. Haar stem klonk vast en helder, net als die van Heleen. De gelijkenis was frappant. Stefan was een moment ontzet, maar in zijn ogen verscheen een warme blik.

'Helaas, maar we zijn nog niet zo ver,' antwoordde Tessa toen ze zich had voorgesteld als agent Van Vliet.

Wierda noemde ook zijn naam.

Stefan knikte.

'We willen de overval nog een keer met u doornemen,' zei de agente op gebiedende toon.

Stefan zuchtte diep. 'Ik heb zojuist de winkel geopend. Er kunnen klanten komen.'

Er gleed een glimlach om de mond van de agente. 'We hebben begrip voor een noodzakelijke onderbreking,' zei ze uiterst vriendelijk. 'De verkoop kan gewoon doorgaan. Dan wachten wij tot u weer vrij bent. Ik begreep van mijn chef dat u ook een dame parttime in dienst had. Werkt ze vandaag niet?'

Hij draaide met zijn hoofd naar de tussendeur achter in de winkel, waardoor de agenten zijn hoofdwond duidelijk konden zien. 'Ja, Rianne is achter bezig met het verzamelen van enkele gerepareerde sieraden. Ik vraag wel of ze even in de winkel komt helpen.'

Beide agenten knikten goedkeurend.

'Rian... Rianne, kun je even een poosje in de winkel helpen. De politie heeft nog enkele vragen.'

'Natuurlijk, meneer Merkelbach.' Rianne kwam tevoorschijn en knikte vriendelijk naar de politiemensen.

Tessa en Ernst liepen met Stefan naar een kantoorruimte achter de winkel, waar een koffiezetapparaat op een bureau stond. De achterdeur die in een tuin uitkwam, waardoor de overvaller waarschijnlijk was binnengekomen, stond open. Een lichte bries zorgde voor frisse lucht.

Tessa keek aandachtig rond en probeerde de roofoverval in beeld te krijgen. Ze duwde de achterdeur open en keek de tuin rond, die omheind was door een stenen muur met een tuindeur. Ze had nergens in het proces-verbaal gelezen dat haar collega's een kijkje in de tuin hadden genomen. Ze liep naar de deur, die onbeschadigd was en afgesloten. Een fiets, waarschijnlijk van Rianne, stond tegen de muur.

Vanuit de kantoorruimte volgde Stefan haar met een bonkend hart. Die agente maakte er duidelijk werk van. Ze bleef veel te lang naar zijn zin in de tuin rondhangen. Het maakte hem nog nerveuzer dan hij al was. Hij hoopte dat ze weer snel zouden vertrekken.

De eerste indruk die Tessa van Stefan Merkelbach kreeg, was meteen al positief. Toen ze in de winkel voor hem stond, viel de zachte blik in zijn ogen haar direct op. Het was alsof er een kleine vonk van intense genegenheid voor deze man uiteenspatte in haar hart. Ze kreeg spontaan medelijden met hem. De hoofdwond op zijn achterhoofd was afgedekt met een pleister. Zijn nerveuze gebaren ontroerden haar. Ze had er geen verklaring voor. In de tuin keek ze onderzoekend rond. Er kwamen haar enkele vragen in gedachten boven toen ze de roofoverval in beeld probeerde te krijgen. Binnen stelde Ernst een paar vragen aan Stefan, en opnieuw hoorden ze letterlijk hetzelfde verhaal dat al in het proces-verbaal opgetekend stond. Tessa moest moeite doen om haar eigen mening te negeren. Deze man had volgens haar helemaal geen kwade bedoelingen, zoals de chef veronderstelde. Stefan Merkelbach was gewoon het slachtoffer van een brute overval. Maar een paar kritische kanttekeningen moesten toch uitgesproken worden. Er waren vragen over het alarm. Kende Stefan misschien een persoon met een trendy bril, zoals de video liet zien? Op al haar vragen had Stefan een sluitend of ontkennend antwoord. Tessa overhandigde Stefan een foto van de overvaller. De chef had een exemplaar van de videofilm laten afdrukken. Ze zag Stefan een paar keer slikken toen hij de donkere gedaante met een bivakmuts over zijn hoofd en een bril op bekeek. De overvaller kon zijn bril niet missen; dat was duidelijk. De man had slechte ogen. Het montuur was erg opvallend. Daarom stond het ook een beetje raar, zo boven op die bivakmuts.

'Ik word er liever niet aan herinnerd,' zei Stefan, duidelijk uit het veld geslagen. 'Ik ken deze man echt niet.' Hij gaf haar de foto terug. Zijn ogen, met daarin een wanhopige blik, bleven daarbij enkele seconden in die van haar haken.

Een glimlach gleed over het gezicht van Tessa toen ze haar wangen warm voelde worden. Ze keek vervolgens naar zijn handen, toen ze de foto aannam. Er zat geen trouwring aan zijn ringvinger. Haar hart maakte een klein sprongetje: Stefan Merkelbach was vrij man.

'Op dit moment heb ik geen vragen meer,' zei ze zachtjes. Ze knikte naar Ernst, die opstond en achter haar aan liep.

'Ik hoop dat u de dader snel zult vinden. Hoewel ik bang ben dat de buit, die uit een serie schitterende diamanten bestaat, al-lang aan een heler zijn verkocht.' Stefan sprak zijn sombere gedachten uit terwijl hij de agenten naar de winkeldeur be-geleidde.

'Daar ben ik ook bang voor, meneer Merkelbach,' zei Tessa begripvol. 'Maar desondanks zullen we er alles aan doen om de dader te pakken.'

'Ik ben goed verzekerd. Een geluk bij een ongeluk, zullen we maar zeggen,' verklaarde Stefan, en er klonk opluchting in zijn stem.

'Ik ben blij dat u het er zelf ook goed van afgebracht hebt.' Tessa glimlachte.

'Bedankt voor uw medeleven,' zei Stefan opgelucht.

Tessa was blij toen ze weer op straat stond. De frisse voor-jaarslucht streek langs haar warme wangen. Ze liep achter Ernst naar de politieauto.

Op het bureau brachten ze samen verslag uit aan de chef, die aandachtig luisterde.

'Dus jullie denken dat er niets mis is. Geen twijfelachtige vermoedens in de richting van kwade opzet?' André keek hen doordringend aan.

Tessa zag de bruine ogen met de zachte blik van Stefan Mer-kelbach weer voor zich. Nee, deze man zou nog geen vlieg kwaad doen. Daar stak ze haar handen voor in het vuur.

'Merkelbach had duidelijke antwoorden op al onze vragen,' zei Ernst bevestigend. 'We hebben geen reden gevonden om aan zijn verhaal te twijfelen.'

Tessa was dankbaar voor zijn antwoord. Ze vormden een hecht team. Ze stonden op het bureau ook bekend als een team dat altijd nauwkeurig te werk ging. En dat was deze keer niet anders. Haar mobiele telefoon ging over. Tessa haalde het ap-paraat tevoorschijn. Ze registreerde Hannekes telefoonnum-mer in het venstertje. Er verscheen een diepe rimpel in haar voorhoofd, en ze zoog daarbij peinzend op haar lip. Hanneke belde niet vaak onder diensttijd. Het kon niet anders of ze zat dringend om hulp verlegen. Ze drukte op een knopje waardoor

Hanneke haar antwoordapparaat kon inspreken, als ze dat wilde. Tessa zou haar later terugbellen. Ze kon haar vriendin niet te woord staan nu ze bij de chef op kantoor zat om over een lopende zaak te praten.

De chef bleef ondanks hun bevindingen toch twijfelen over de roofoverval. 'Loop deze week iedere dag op wisselende tijden een keer bij die juwelierszaak binnen. Win informatie in bij de andere winkels in de straat. Misschien heeft iemand iets opgemerkt na sluitingstijd op die koopavond. Surveilleer daarbij regelmatig in de onmiddellijke omgeving van de juwelierszaak.'

'Oké, chef,' antwoordden Tessa en Ernst tegelijk.

'Ik wil elke dag een verslag van jullie bevindingen op mijn bureau.'

'Komt voor elkaar, chef.' Tessa en Ernst verlieten het kantoor.

'De chef bijt zich wel vast in de zaak,' merkte Ernst op. 'Wat mij betreft, is het gewoon verloren tijd.'

'We volgen zijn instructies op, Ernst. Dat is nu eenmaal onze plicht,' zei Tessa, blij met de orders van André Bontekoe. Ze vond het helemaal geen verloren tijd iedere dag poolshoogte te gaan nemen bij die aardige juwelier met zijn warme oogopslag. De ontmoeting had haar helemaal in de war gebracht. Ze zag er nu al naar uit hem morgen weer te ontmoeten. Ze had enorm met de man te doen.

De telefoniste achter de receptiepost hield hen aan toen ze het bureau weer wilden verlaten. 'Ik krijg zojuist een melding binnen van huiselijk geweld. Kunnen jullie er onmiddellijk naar toe?'

'We zijn al onderweg,' antwoordde Ernst gedienstig, nadat de telefoniste hem het adres had doorgegeven.

Bij aankomst op de plaats van het onheil was de storm van geweld al geluwd. De buurvrouw die het bureau had gebeld, stond hen buiten op te wachten. 'Dit gebeurt zo vaak,' klaagde ze verontrust. 'Maar nu duurde het gekrijs langer dan anders. Hij vermoordt haar nog eens.'

Binnen troffen Tessa en Ernst een dronken man aan die zijn vrouw flink had afgeranseld. Hij zat als een kind te huilen op de bank. De vrouw met een blauw oog en een opgedroogde bloedneus wilde echter niets van enige politiehulp weten. Ze wilde haar problemen zelf oplossen; dat deed ze altijd. Ze kende haar man en wist van zijn zwakheid. Wanneer hij zijn roes uitgeslapen had, was hij een ander mens.

Tessa en Ernst verlieten het huis. Zolang de vrouw geen aangifte deed van mishandeling, konden ze niets ondernemen. Ze hadden de vrouw wel dringend geadviseerd hulp te zoeken voor haar man, al hadden ze er niet veel vertrouwen in. Deze vrouw zou niet snel hulp zoeken. Het ging er al jaren zo toe, had de buurvrouw gezegd.

Tussen de middag, net na lunchtijd, herinnerde Tessa zich het telefoontje van Hanneke weer. Ze luisterde naar het antwoordapparaat naar het bericht waarin Hanneke haar met trillende stem vroeg of ze zo snel mogelijk wilde terugbellen. Ongerust toetste ze het nummer van Hanneke in. De zorg om haar vriendin nam toe. En dat was niet ten onrechte.

'O, Tess, ik ben blij dat je me belt,' snikte Hanneke. 'Er is iets naars gebeurd.'

'Vertel,' drong Tessa aan. 'Of kan het niet via de telefoon?'

'Ja, ik kan vrijuit praten. Kim is op school, en Niek en Thijs doen hun middagdutje. Ik ben alleen.' Het gesnik was gestopt.

'Wat is er gebeurd? Heeft het soms met Jessica te maken?'

'Nee, gelukkig niet. Het gaat om... Ben.'

'Ben? Wat is er met Ben gebeurd?'

'Ik werd vanmorgen gebeld door iemand van het zwembad...' Hanneke stopte. Haar stem trilde van nervositeit. Ze kuchte. 'Ben speelt wekelijks een competitiewedstrijd waterpolo in dat zwembad. Dat weet je toch?'

'Ja, ik weet welk zwembad je bedoelt.' Tessa hoorde Hanneke diep ademhalen voordat ze verder ging.

'Ben heeft... Het schijnt dat Ben... Ik kan het niet geloven, Tess. Zo is Ben helemaal niet.'

'Wat wil je me vertellen, Hanneke? Toe, zeg het. Wat is er

met Ben?' drong Tessa zachtjes aan. Ze was zich ervan bewust dat Hanneke vreselijk over haar toeren was.

'Het was een jong meisje. Ze zegt dat Ben... dat mijn Ben haar seksueel geïntimideerd heeft. Daar geloof ik niets van.'

'O, Hanneke, wat erg.'

'Het klopt niet, Tessa. Zoiets doet Ben niet. Hij is altijd zo lief voor mij en de kinderen.'

'Heb je Ben verteld van dat telefoontje?'

'Lieve help. Nee... Dat kan ik beter niet doen. Vorige week vertelde Ben nog dat er een paar jaloerse clubleden bij de waterpolovereniging zijn die hem niet kunnen uitstaan. Leden die hem treiteren. Snap jij dat? Dat zijn dan zogenaamd volwassen mensen.'

'Heeft dat meisje haar naam ook genoemd?'

'Lindsay noemde ze zich. Maar ik geloof het niet, hoor. Het is een leugen.'

Tessa zuchtte onhoorbaar. Nee, ze kon zich niet voorstellen dat Ben tot zoiets zou overgaan. Ben was enigszins dominant, had vaak een grote mond, maar voor seksuele intimidatie zag ze Ben niet aan. Hij had aan Hanneke een perfecte vrouw, en samen waren ze dol op hun drie schatten van kinderen. 'Ik kan het me ook niet voorstellen, Hanneke. Als je er niet met Ben over wilt praten, laat het dan maar rusten. Maak je alsjeblieft niet overstuur door dat telefoontje. Waarschijnlijk is het een roddeltante.'

'Het lucht me zo op dat jij het nu weet.'

'Dat is goed, Hanneke. Bel me zodra er opnieuw lasterlijke praatjes worden verteld over Ben. Dan kan ik iets voor je regelen waardoor het stopt.'

'Oké. Maar ik geloof er niets van, echt niet.'

Tessa verbrak de verbinding. Haar gedachten waren bij Hanneke en Ben en hun gezinnetje. Wat bezielde die Lindsay van het zwembad om Hanneke op te zadelen met dit vervelende bericht? Zoiets was een regelrechte aanslag op het huwelijksgeluk van haar beste vriendin. Tessa had er geen goed woord voor over.

André kon zich maar niet van de zaak Merkelbach losmaken. Hij had alle vertrouwen in het werk en de bevindingen van Tessa en Ernst, maar hij voelde toch een vage onrust wanneer hij zich op deze zaak concentreerde. Hij had doorgaans een fijne neus als het om fraudegevoelige zaken ging. Helaas was er geen bewijslast, en daar draaide het bij justitie nu eenmaal om. Hij hield Tessa en Ernst nog een tijdje op de zaak, omdat hij de hoop had dat ze alsnog iets zouden ontdekken. Misschien zou de juwelier zich alsnog met een verspreking of een bekentenis verraden. Ernst had vandaag verteld, na het laatste bezoek aan de juwelierszaak, dat Stefan zijn parttime winkelhulp op die bewuste koopavond een uur eerder naar huis had gestuurd. Dat was ook een merkwaardige bijkomstigheid. Het versterkte zijn vermoedens. Er klopte iets niet met deze roofoverval.

André was daarbij ook een beetje teleurgesteld over de wijze waarop Tessa haar werk in deze zaak deed. Hij had zulke hoge verwachtingen van haar gehad. Helaas zag Tessa de roofoverval op Stefan Merkelbach als een afgesloten dossier. Ze was blijkbaar niet in staat analytisch te werken. Had hij zich dan zo in haar vergist? Ze stond op het bureau bekend als een 'speurneus eerste klas'. Uit haar woorden en de glinsterende blik die in haar ogen verscheen wanneer ze het over de zaak-Merkelbach had, kon hij zelfs opmaken dat ze de juwelier erg sympathiek vond. Misschien wel een beetje te sympathiek. Voelde Tessa zich misschien aangetrokken tot deze man? André dacht opeens aan Nienke en de manier waarop hij haar was kwijtgeraakt, en raakte op slag bitter gestemd. Bij Tessa was het blijkbaar niet anders. Zij liet zich ook meteen inpakken door zo'n gladjanus met geld. André wist dat het onredelijk was Tessa met Nienke te vergelijken. Het litteken op zijn hart, dat was ontstaan nadat Nienke hem in de steek had gelaten, voelde nog steeds pijnlijk aan. Hij begreep in de verste verte niet waarom hij Tessa met Nienke vergeleek. Ze hadden totaal niets met elkaar gemeen.

André stond op van zijn bureaustoel, ging voor het raam

staan en keek naar buiten. Het was een komen en gaan van agenten. De dienstwisseling was voor vandaag weer een feit. Hij nam zijn jas van de kapstok, zette zijn pet op en verliet het gebouw, nadat hij zich afgemeld had bij de receptie. Zijn diensttijd voor vandaag zat er ook op. Hij wilde vanavond nog eens goed nadenken over het dossier-Merkelbach. Er moest iets zijn. Hij nam zich voor het ontbrekende bewijs te vinden.

Toen Tessa haar auto op een avond opnieuw voor Jessica's huis parkeerde, slaakte ze een diepe zucht van opluchting. Voor haar auto ontdekte ze namelijk de auto van Hanneke en Ben. Ze herkende het nummerbord van de geparkeerde auto onmiddellijk. Het betekende dat Hanneke en Ben nu binnen waren, bij Jessica. Misschien was het probleem tussen de beide zusjes weer opgelost. Of misschien waren ze dat nu aan het uitpraten. Vertwijfeld beet Tessa op haar lip. Ze kon nu niet aanbellen. Het zou niet goed zijn het contact tussen Jessica en Hanneke te verstoren. Op dit ogenblik kwam ze ongelegen; dat was duidelijk. Hanneke zou haar vandaag of morgen vast en zeker inlichten over de gang van zaken.

Tessa gespte juist haar gordel weer vast om weg te rijden, toen de voordeur van Jessica's huis openzwaaide. Ben kwam haastig naar buiten lopen, streek door zijn verwarde haar en trok de voordeur meteen achter zich dicht. Hij opende het portier van zijn auto en wilde instappen. Maar Tessa maakte haar gordel weer los en stapte snel uit.

'Hoi, Ben,' groette ze. 'Is Hanneke nog binnen, bij Jessica?'

Het gezicht van Ben zag er warm uit. Zijn ogen namen haar op. Er verscheen een blik van verbijstering op zijn gezicht. 'Nou... nee. Hanneke is... Hanneke is gewoon thuis. Ik moest...' hakkelde hij, terwijl hij nog eens met zijn hand door zijn haren wreef. 'Nou ja, ik heb getracht met Jessica te praten over haar relatie met Hanneke.'

Tessa knikte. Dat begreep ze. 'Ik vind het fantastisch van je, Ben. Heb je daarnet wel iets kunnen bereiken? Komt het weer goed tussen Hanneke en Jessica?'

'Ik hoop het, Tess. Ik hoop het van harte. Hanneke zit er zo mee in haar maag.'

'Ik weet het. Vandaar dat ik ook een poging wilde wagen om er nog eens met Jessica over te praten.'

'Ze... Ze... Jessica was wat overstuur.' Ben bewoog zijn hoofd in de richting van Jessica's huis. 'Je kunt haar nu beter met rust laten. Ze wilde nadenken.'

'Goed, dan ga ik weer.'

'Wil je alsjeblieft niet tegen Hanneke zeggen dat ik hier ben geweest? Jessica heeft gezegd dat zij binnenkort contact zal zoeken met Hanneke om alles uit te praten. Ik wil dat het een verrassing is voor Hanneke. Begrijp je?' Na die woorden stapte Ben in zijn auto. Met slippende banden reed hij weg.

Tessa had het nakijken. Ze bleef even staan. De gesproken woorden galmden nog na in haar oren. 'Wil je alsjeblieft niet tegen Hanneke zeggen dat ik hier ben geweest?' Ze vond het vreemd dat Ben zijn bezoekje aan Jessica voor Hanneke wilde verzwijgen. Nee, ze begreep geen snars van zijn beweegredenen. Maar als hij Hanneke wilde verrassen, moest ze dat respecteren. Ze kon zwijgen als het graf. Hoewel, in dit geval mocht het niet langer dan een week duren, nam ze zich voor. Ze zou de ontwikkelingen op de voet volgen.

Langzaam liep ze naar het raam waardoor ze in de huiskamer van Jessica kon kijken. De kamer zag er verlaten uit. Waar was Jessica? Tessa stond op het punt naar haar auto terug te lopen, toen Peter zijn auto voor het huis parkeerde.

'Ha, die Tessa. Kom je gezellig op de koffie?' Hij klonk enthousiast toen hij uitstapte. 'Doet Jessie niet open?'

'Hoi, Peter. Ik heb nog niet aangebeld. De huiskamer ligt er verlaten bij.'

'Ze is thuis, hoor.'

'Dan is het goed. Voor een kopje koffie blijf ik.'

Peter draaide met zijn sleutel de voordeur open en liet Tessa voorgaan. 'Ik kijk even of Jessica boven is,' zei hij. Met twee treden tegelijk hoorde Tessa hem naar boven lopen. Niet lang daarna kwam hij weer beneden. 'Sorry, maar Jessica ligt in bed. Ze heeft last van migraine. Met een paar uurtjes rust zal het wel zakken. Zo gaat het meestal wanneer ze daar last van heeft. De laatste tijd klaagt ze vaak over hoofdpijn. Zullen we samen een kopje koffie drinken?'

Tessa glimlachte. Ze had wel trek in een kop koffie, en bij Peter was ze in goed gezelschap. 'Ja, lekker.'

'Ga zitten. Ik ben zo terug.' Peter liep door naar de keuken en kwam even later terug met de koffie.

'Ben jij er ook van op de hoogte dat Hanneke en Jessica momenteel in onmin leven met elkaar?' Tessa roerde in haar kopje en keek Peter aan.

'Nu je het zegt... Ja... Het valt me al een poosje op dat Jessica wat afstandelijker is. Ze ontwijkt Hanneke; dat is duidelijk. In onmin vind ik een te beladen begrip. Er zit Jessica iets dwars. Ik weet alleen niet wat.'

'Ben van Hanneke was hier zojuist toen ik arriveerde. Hij heeft het met Jessica over de situatie gehad.'

Peter fronste zijn wenkbrauwen en dronk van zijn koffie. 'Daar zal ik Jessica straks eens naar vragen.'

'Je moet me een plezier doen, Peter. Dring er bij Jessica op aan het contact met Hanneke te herstellen. Hanneke is er erg verdrietig over en ze weet niet wat ze fout heeft gedaan. Ze wil het graag goedmaken. Dat moet toch kunnen tussen twee zussen?'

'Ik ben het met je eens. Goed, ik zal mijn best doen, Tessa. Maar ik kan Jessie niet dwingen.'

'Mag ik komende week terugkomen om poolshoogte te nemen? Ik doe het voor Hanneke, zie je.'

'Ja, jullie zijn altijd beste vriendinnen geweest. Daar heeft Jessica me in het verleden al zo veel van verteld.'

Tessa dronk haar koffiemok leeg en stond op. 'Dan ga ik nu, het is morgen weer vroeg dag.'

Peter liet haar bij de voordeur uit.

Tessa stak groetend haar hand op toen ze instapte en wegreed. Ze hoopte dat Peter een beslissende rol kon spelen, zodat Jessica en Hanneke zich snel met elkaar zouden verzoenen. Ze had het zelf al eerder geprobeerd, en Ben een uurtje geleden nog. Tegen zo veel overmacht was Jessica vast niet opgewassen.

Tessa wierp zijdelings een blik op haar horloge, dat acht uur aanwees. Vreemd, het moest intussen toch later zijn. Op het dashboard van haar auto zag ze dat het klokje kwart over negen aangaf. Toen ze thuis was, wees haar horloge nog steeds dezelfde tijd aan: acht uur. Tessa besefte dat het kapot was. Ze gespte het horloge los en nam zich voor het morgen door Stefan Merkelbach te laten repareren. Een glimlach speelde daarbij om haar lippen. Ze vond Stefan niet alleen een aardige juwelier, hij was bovendien erg charmant. Een man als Stefan maakte iets in haar los, waar andere mannen al jaren niet meer toe in staat waren geweest.

5

Het nerveuze gevoel dat sinds de roofoverval van Stefan bezit had genomen, wilde maar niet wijken. Het had dagen geduurd voordat hij een eerste levensteken van Joop van Dal had gekregen. Een kort telefoontje met de mededeling dat het fluwelen zakje met inhoud in veiligheid was gebracht. Dit bericht had hem nog nerveuzer gemaakt. Wat bedoelde Joop daar eigenlijk mee? Het was toch de bedoeling dat het kostbare goedje zo snel mogelijk in geld omgezet zou worden? Dan kon Joop hem het afgesproken deel geven, zodat hij het geld meteen naar Argentinië kon sturen. Heleen zat al ongeduldig te wachten op het fortuin, en natuurlijk ook op zijn komst. Ze had een riant huis op het oog, en daar was op korte termijn een flink aankoopbedrag voor nodig. Gisteravond hadden ze elkaar telefonisch nog gesproken. Ze had er bij hem op aangedrongen zo snel mogelijk geld over te maken. Maar zo snel zou het dus niet gaan, besefte Stefan. En dan was er ook nog de verzekering. Die wilde pas met de uitbetaling van de geleden schade over de brug komen wanneer het politieonderzoek definitief was afgerond. Alles duurde veel langer dan hij had gepland. Stefan verafschuwde het bureaucratische gedoe van de verzekeringsmaatschappij.

Joop had hem laten weten dat de kust voor de illegale verkoop van diamanten voorlopig niet veilig was. De politie had zijn contacten gealarmeerd, en de handelaren wilden pas zaken doen wanneer de rust op dat gebied was teruggekeerd. De verkoop van het kostbare goedje zou op dit ogenblik te veel opvallen.

Stefan had zich noodgedwongen bij de situatie neergelegd. Heleen was erg overstuur geweest aan de telefoon, toen hij haar vertelde dat het allemaal wat langer ging duren dan gepland was. Als het geld er over een maand niet is, raak ik de optie op dat mooie huis kwijt, had ze geklaagd. Hij had haar gerustgesteld met de belofte dat het geld er op tijd zou zijn, maar hij wist niet of hij het beloofde kon waarmaken. Wat dat betreft, was hij volkomen afhankelijk van Joop. Even vroeg hij zich verontrust af of Joop zijn vertrouwen wel waard was. Hij zou hem vanavond opbellen om een afspraak te maken. Hij wilde Joop zien. Nee, hij moest Joop zien. Er stond zo veel op het spel.

Terwijl Stefan piekerde over de benarde situatie waarin hij zich bevond, ging de winkeldeur open. Een jong stelletje dat trouwringen wilde kopen, bood hij een plaats aan in een gezellig zithoekje halverwege de winkel. Hij opende de vele laden met allerlei varianten aan modellen. De jonge mensen bogen zich enthousiast over de gouden kostbaarheden.

Opnieuw rinkelde de winkelbel.

Stefan richtte zijn blik op de jongedame die zijn zaak in liep. Hij herkende het gezicht meteen. Het was agente Van Vliet, die hem steeds weer aan Heleen deed denken. Ze droeg vandaag geen uniform. Stefan verontschuldigde zich bij het stelletje en liep naar Tessa toe. De blosjes op haar wangen vielen hem meteen op. Ze zag er in burger heel anders uit dan in het politie-uniform waarin hij haar eerder had gezien. Vlotter, ontspannen en bovenal veel aardiger. Het gezaghebbende was weg. De gelijkenis met Heleen trof hem opnieuw.

'Dag, meneer Merkelbach,' zei ze lachend.

Hij keek haar warm aan, zoals hij altijd naar Heleen keek wanneer ze voor hem stond. Ineens besefte hij dat hij Heleen heel erg miste. Haar aanraking, de omhelzing en haar kussen. De laatste weken was hij te veel in beslag genomen door de geroofde diamanten en de ophanden zijnde illegale verkoop ervan.

'Mijn horloge is kapot. Kunt u het repareren?'

Stefan zag haar ogen hoopvol glinsteren. 'Natuurlijk, mevrouw Van Vliet.'

'Tessa. Ik heet Tessa.' Tessa keek hem verlegen aan. 'Ik heb geen dienst vandaag. Vandaar.'

Hij nam het horloge van haar over. Zijn hand raakte daarbij haar zachte vingers aan.

'Het klokje is stil blijven staan. Ik weet niet wat er mis is, maar het is zo verwarrend steeds de verkeerde tijd af te lezen.'

'Het is waarschijnlijk een kleinigheidje, Tessa.' Stefan fluisterde en knikte haar vriendelijk toe. 'Je kunt er zelfs even op wachten. Er hoeft alleen maar een nieuw batterijtje in, denk ik.'

'O, is dat alles? Dan wacht ik even.'

Stefan verdween naar het kantoor en kwam vijf minuten later terug. 'Je horloge doet het weer. Het was inderdaad het batterijtje.'

'Gelukkig.'

Tessa wilde het horloge van hem aannemen.

Stefan stond er echter op het uurwerkje om haar pols te gespen. Zijn handen namen haar pols voorzichtig vast, alsof hij haar streelde. Tessa voelde haar wangen nog roder worden. Hij schoof het horloge er zachtjes omheen en maakte het bandje vast. In zijn hoofd ontstond een plannetje. Hij mocht deze jonge vrouw graag. Ze was een sympathieke politieagente, en nu ze in burger was, was het alsof Heleen heel dicht bij hem stond. 'Wat zijn de kosten?' hoorde hij Tessa vragen. Hij liet met tegenzin haar pols los. Het was fijn haar vast te houden, besefte hij verward. 'Ik wil vanavond graag met je dineren in een restaurant.' Hij bracht zijn gedachten meteen onder woorden en hoopte dat zij hem niet al te vrijpostig vond. Stefan zag haar ogen oplichten. De schittering erin raakte hem emotioneel. Hij wilde Heleen niet ontrouw zijn, maar deze politieagente die zo op haar leek, wakkerde iets in hem aan wat hij sinds het vertrek van Heleen miste. Hij verlangde naar de aandacht van de vrouw die voor hem stond. Hij zag meteen aan haar ogen dat ze op zijn uitnodiging zou ingaan.

'O... dat is... aardig. Ja, dat lijkt me leuk.'

'De zaak sluit om zes uur. Kan ik je om zeven uur ergens komen halen?'

Tegen al haar principes in gaf Tessa hem haar adres, dat hij meteen opschreef. Privé en werk had ze tot nu toe altijd strikt gescheiden gehouden. Maar voor Stefan Merkelbach maakte ze graag een uitzondering. 'En de batterij?' vroeg ze. 'Hoeveel krijgt u?'

'Niets. Zie het maar als een vriendendienst,' zei hij. 'En wil je me voortaan Stefan noemen wanneer je in burger bent.'

'Graag, Stefan. Tot vanavond.' Ze draaide zich om en liep zijn winkel uit.

Hij keek haar peinzend na en wuifde terug toen ze voor zijn etalage nog eens een hand naar hem opstak. Hij zou het vanavond slim aanpakken en een en ander met elkaar combineren. Hij zou haar meteen polsen over het politierapport. Misschien kon Tessa op het bureau iets voor hem regelen, zodat haar chef het lopende onderzoek wat sneller zou afronden. Hij wilde niet langer dan noodzakelijk in Nederland blijven. Zodra de buit binnen was, en de verzekering over de brug kwam met een ongelooflijk bedrag aan euro's, kon hij verdere stappen ondernemen. Na de verkoop van zijn winkel en woonhuis zou hij meteen zijn koffers pakken en naar Argentinië vertrekken. Het vliegticket met visum lag al klaar. Tot dat moment zou hij noodgedwongen de tijd doden en wat vertier zoeken bij Tessa van Vliet. Met gedachten mijlen ver weg liep Stefan weer naar het zitje, waar het jonge stelletje intussen een keuze had gemaakt voor hun trouwringen.

André nam de tijd om zijn pension wat op te vrolijken. Vanuit Den Haag had hij op een vrije dag met de auto wat decoratieve spullen naar Breda verhuisd. Op de vensterbank stonden nu drie planten, en aan de muur hing een schilderij. De foto van Nienke die nog op een kast in Den Haag stond, had hij niet meegenomen. Die foto paste niet in Breda. De herinnering aan haar was ver weg. In Den Haag voelde hij zijn verdriet feller; in Breda kon hij afstand nemen. Hier leidde hij een ander leven, dat momenteel alleen maar bestond uit contact met collega's van het plaatselijke korps. Er waren enkele belangrijke zaken waarin hij zich meteen had vastgebeten. Hij wilde deze zaken snel oplossen en net als bij een legpuzzel het ontbrekende bewijsstuk vinden. Gedreven bleef hij zoeken naar opheldering in de zaak-Merkelbach. Tessa en Ernst, die de juwelierszaak en de omgeving nog steeds in de gaten hielden, voelden niet wat hij voelde. Waren ze dan blind voor een dergelijke roofoverval? Met de antwoorden die Stefan Merkelbach hun had gegeven, was hij niet tevreden. Hij vond het niet afdoende. Er haperde iets. Maar wat? André kon er de vinger niet op leggen. Hij nam het politiedossier tijdens de avonduren thuis op de bank nog eens door. Volgens de bewakingscamera was Merkelbach steeds in beeld bezig geweest tot aan sluitingstijd van zijn winkel. De overvaller deelde daarna slechts een beschaafd klapje uit; dat was duidelijk waarneembaar. En dat stond hem niet aan. Een echte overvaller zou toch veel harder slaan? Maar André had met deze conclusie geen enkel bewijs in handen om ook maar iets aan te tonen. In zijn hoofd verscheen het scenario waarin Merkelbach zich op voorhand al bewust was van wat er ging komen. En dan was er nog het opmerkelijke toeval dat Merkelbach zijn winkelhulp een uur eerder naar huis had gestuurd. Het was die avond rustig in de winkel. Ja, ja. Maar het was wel vaker rustig in de winkel. Volgens Rianne Dinkel had Merkelbach haar nog nooit eerder naar huis gestuurd. En daar kon André wel het ontbrekende antwoord op geven. Zijn intuïtie vertelde hem dat Merkelbach zijn winkelhulp misschien wel met opzet eerder naar huis had gestuurd. De juwelier wilde geen pottenkijkers meteen na sluitingstijd. Dat was de reden. De dader met de opvallende bril intrigeerde hem ook.

André sloeg het politierapport dicht. Morgen, zo nam hij zich voor, zou hij zich eens wat meer in het privéleven van Merkelbach verdiepen. Hij stond op en geeuwde. De klok wees tien uur. André keek nog even naar het journaal en maakte aanstalten om op tijd naar bed te gaan. Morgen beloofde het weer een drukke, intensieve dag te worden, met veel bureauwerk. In de slaapkamer kwam hij tot de ontdekking dat hij zijn mobiele telefoon miste. Hij voelde in zijn broekzak, keek in de kamer op de eettafel naast zijn laptop. Maar waar hij ook keek, het mobieltje lag nergens. Toen herinnerde hij zich dat hij het waarschijnlijk gewoon in het dashboardkastje van zijn auto had laten liggen. André duwde zijn autosleutels in zijn broekzak, holde via het trappenhuis twee trappen omlaag en liep vervolgens naar het parkeerterrein. Zijn auto stond op de achterste parkeerplaats. Hij opende het portier en vond in het dashboardkastje wat hij zocht. Hij nam het telefoontje in zijn hand en controleerde of er gesprekken waren binnengekomen. Hij registreerde slechts twee gemiste oproepen.

Terwijl André naar het antwoordapparaat luisterde, waarin de hoofdofficier van justitie hem dringend verzocht morgenvroeg contact op te nemen, zag hij dat er een donkere BMW voorbijreed. Al luisterend volgde hij met zijn ogen de auto, die voor het appartementencomplex stopte. De bestuurder boog zich naar de passagier. In het heldere licht van de straatlantaarn kon André zien dat de bestuurder de hand van de passagier vastpakte en kuste. André schudde zijn hoofd. Hij probeerde niet aan Nienke te denken, maar zijn volle aandacht bij het ingesproken bericht op zijn telefoon te houden. De bestuurder stapte daarna uit en opende het portier van de passagier. André drukte zijn telefoontje uit en zag tot zijn verbazing dat het Stefan Merkelbach was. Nog groter was zijn verbazing toen de passagier uitstapte. Het was Tessa van Vliet. Ze gaf Merkelbach een hand, lachte naar hem en liet zich vervolgens nog eens drie keer op de wang kussen. Daarna verdween ze in het appartementencomplex, en reed de donkere BMW langzaam weg.

André was niet in staat meteen terug te lopen naar zijn pension. Wat hij gezien had, overdonderde hem. Tessa liet zich gewoon door Merkelbach op haar wangen kussen. Hij begreep er geen snars van. Er kwamen ineens veel meer vragen in zijn hoofd. Hadden die twee soms een relatie? En wat voor relatie was dat dan? Vriendschappelijk? Of waren ze soms verliefd op elkaar? André begreep ineens duidelijk waarom Tessa niet objectief kon zijn in deze zaak. Morgenvroeg zou hij haar op zijn kantoor laten komen. Ze moest onmiddellijk van de zaak-Merkelbach worden gehaald. Hij accepteerde niet dat werk en privé in elkaar overliepen.

Toen André het licht aan zag gaan op de vierde etage, waar Tessa woonde, keerde hij terug naar zijn pension. Het telefoontje duwde hij diep weg in zijn broekzak. Jammer, Tessa van Vliet was een goede agente en een leuke meid, dacht hij met spijt. Hij had haar graag beter leren kennen. Ze intrigeerde hem al vanaf zijn eerste werkdag, toen ze hem een fikse bekeuring gaf. Een meid met pit en karakter.

Met een nijdig gebaar gooide André even later zijn voordeur in het slot. Hij had het gevoel iets kostbaars kwijt te zijn.

Tessa verheugde zich op het etentje met Stefan. Nadat ze was thuisgekomen met een horloge dat weer de juiste tijd aangaf, kon ze aan niets anders meer denken. Stefan vond haar de moeite waard om mee uit eten te nemen. Ze kon het nog nauwelijks geloven. Ze voelde zich zo blij, zo gelukkig. Tessa zweefde de verdere dag op een wolk van hoopvolle verwachtingen. Zou Stefan haar ook graag mogen, vroeg ze zich af. Er was een klik tussen hen beiden; ze had het duidelijk gevoeld. Zelfs de problemen rondom Hanneke en Jessica stonden ineens ver van haar af. Ze had Hanneke nog willen bellen vandaag, maar zag ervan af. Dat kon morgen, of anders overmorgen ook nog. Ze verwachtte dat het bezoek van Ben aan Jessica intussen voor de juiste oplossing had gezorgd. Het was al een week geleden dat hij met Jessica had gesproken. En Peter zou ook zijn best doen en helpen om de relatie tussen de zusjes te herstellen.

Klokslag zeven uur belde Stefan bij haar aan.

Tessa had zich gekleed in haar allernieuwste kleding. Heel even voelde ze zich verlegen met zijn onderzoekende blik, waarin ze duidelijk bewondering las. Buiten volgde ze hem naar zijn auto. Een donkerblauwe BMW.

Stefan stuurde de auto Breda uit, naar een klein plaatsje, waar een romantische bistro op hun komst had gerekend. Hij nam haar jas en schoof haar stoel aan. Zijn hoffelijkheid verwarde haar.

Ze kon zich niet herinneren dat er eerder een man in haar

leven was geweest die haar zo stijlvol had behandeld. Op zijn vraag of ze van champagne hield, knikte ze.

Stefan bestelde meteen een fles en hief zijn glas naar haar op voor een toast.

Ze bestelden hetzelfde menu. Tijdens het eten hoorde Tessa dat Stefan nog niet zo lang geleden gescheiden was van zijn vrouw.

'Het ging al jaren niet meer tussen ons,' zei hij.

Er vloog een schaduw over Tessa's gezicht. Stefan was dus een man met een verleden. Ze vroeg of er ook kinderen waren, waarop Stefan meteen ontkennend antwoordde.

'Dat was de reden waarom het met ons huwelijk niet goed meer ging,' vertelde hij verder. 'Ik had graag kinderen gewild, maar Heleen was ertegen. We groeiden uit elkaar. Heleen was een vrije vogel, had dan hier en dan daar weer een relatie, totdat ik er niet meer tegen kon. Ik ben namelijk een echte familieman. Ik kon het niet uitstaan Heleen steeds met andere mannen te moeten delen.'

Tessa hing aan zijn lippen. Nadat de eerste schrik over zijn echtscheiding voorbij was, voelde ze een warm medeleven in zich opkomen. Ze wist dat haar ouders hun hoofden zouden schudden bij de mededeling dat ze verliefd was op een gescheiden man. 'Jij verdient beter,' hoorde ze haar vader al mopperen, en moeder zou iets over de Bijbel zeggen, dat God echtscheiding niet wilde. Dat geloofde ze zelf ook wel. Als ze aan een huwelijk dacht, moest dat voor altijd zijn, tot de dood. Zowel in voor- als in tegenspoed. Maar Stefan kon er toch niets aan doen dat zijn huwelijk op de klippen was gelopen? Als Heleen geen buitenechtelijke relaties had gehad, was dit ook niet gebeurd.

Tessa vertelde vervolgens kort iets over haar leven op het platteland en haar familie.

'Je hebt een leuke baan,' viel Stefan haar in de rede toen ze hem vervolgens iets vertelde over haar werk bij de politie. 'Ik hoop dat het onderzoek naar de roofoverval op mijn zaak binnenkort afgesloten wordt. Wat denk je ervan? Gaat het nog lang duren?'

Tessa glimlachte krampachtig. Nu kwam hij op een terrein waarop ze niet met hem in discussie kon gaan. 'Daar kan ik geen uitspraak over doen, Stefan. Dan ga ik buiten mijn boekje.'

Stefan zuchtte. 'Ach, dat begrijp ik. Neem me niet kwalijk. Ik hoop zo dat ze de dader snel zullen vinden. En natuurlijk ook de diamanten.'

Tessa zweeg wijselijk. Ze kon op het gebied van de roofoverval niets aan Stefan kwijt. Het onderzoek liep nog. André was niet van plan het politierapport snel af te sluiten. Ze kende zijn twijfel. André was ervan overtuigd dat Stefan met verzekeringsfraude bezig was. Bewijzen waren er niet, maar zijn intuïtie bedroog hem zelden, had hij gezegd. Tessa zag het niet zo. De man die vóór haar zat, was eerlijk en integer. Een familieman, die van kinderen hield. Het werd Tessa warm om haar hart. Eindelijk, na zo veel jaren was er weer een man in haar leven gekomen. Ze zou Stefan beter willen leren kennen en misschien wel voorzichtig een relatie met hem willen aangaan. Maar voorlopig kon ze daar alleen over dromen. Haar beroep en het politieonderzoek vormden op dit moment een groot obstakel.

Na het diner pakte Stefan haar handen vast en keek hij naar haar vingers. 'Ik zie geen kostbare ringen om je vingers,' concludeerde hij. 'Als juwelier let ik daar altijd op.'

Tessa bloosde toen hij naar de datum van haar verjaardag informeerde.

Stefan keek haar veelbelovend aan toen ze hem vertelde dat ze volgende maand jarig was. Even voor tienen rekende Stefan af bij de ober, en verlieten ze de bistro. Hij reed de auto langzaam terug naar het appartementencomplex waar ze woonde, alsof hij zo lang mogelijk van haar gezelschap wilde genieten. Daar nam hij haar hand vast en drukte er een kus op. 'Je bent prettig gezelschap, Tessa. Mag ik je nog eens mee uit vragen?'

'Graag,' antwoordde Tessa.

Stefan stapte uit en hielp haar uit de auto. 'Welterusten, voor straks,' zei Stefan, boog zich naar haar toe en kuste haar drie keer op de wang.

'Bedankt voor deze avond, Stefan.' Het viel haar op dat er niet langer een pleister op zijn hoofd zat. Nu was er niets meer dat haar aan de roofoverval deed denken.

'Binnenkort doen we het nog eens over,' lachte hij, en hij stapte weer in zijn auto. Tessa liep naar de lift en drukte op de knop van de vierde etage. Om haar mond lag een glimlach. Ze voelde zich intens gelukkig.

Stefan reed verder, naar het centrum van de stad. Hij had net als Tessa genoten van deze avond. Hoewel ze hem sterk aan Heleen deed denken, was ze toch anders. Zakelijk, en ook een beetje op haar hoede. Maar dat bracht haar beroep met zich mee. Ze was in ieder geval niet loslippig. Over de roofoverval liet ze niets los. Maar hij wist zeker dat hij een goede indruk op haar had gemaakt. Dat kwam zijn zaak bij de politie alleen maar ten goede. Stefan parkeerde zijn BMW in de garage achter zijn juwelierszaak. Joop moest eens weten met wie hij uit geweest was. Een politieagente, afkomstig van het platteland. Hij zou het hem voorlopig niet vertellen. Zijn omgang met Tessa hield namelijk ook risico's in. Joop zou er het voordeel niet van inzien en alleen maar bang zijn dat Tessa lucht zou krijgen van hun plannetjes. Maar daar wilde Stefan niet aan denken. Als hij het handig speelde, zou Tessa zijn zaak bij de politie alleen maar gunstig kunnen beïnvloeden. Dat zou de weg vrijmaken voor een snelle illegale verkoop van zijn geroofde diamanten, zodat Joop en hij de felbegeerde verzekeringscentjes snel in handen zouden krijgen. Daar was het hem om te doen.

Met twee treden tegelijk liep Stefan de trap op naar zijn woning boven de juwelierszaak. Hij voelde zich sinds lange tijd weer enigszins blij en optimistisch.

De volgende ochtend was André vroeg op het bureau om zich voor te bereiden op een briefing. Afgelopen nacht waren er ongeregeldheden geweest in diverse cafés, waar bij toeval ook nog eens enkele kilo's heroïne waren ontdekt. Weer een zaak waarin hij zich kon vastbijten totdat hij de daders in hun kraag zou grijpen. Hij wilde naast enkele agenten ook twee rechercheurs op de zaak zetten. Maar voordat hij de briefing met de desbetreffende mensen zou bespreken, wilde hij eerst Tessa op zijn bureau zien. Hij had vannacht nog lang wakker gelegen en over de zaak-Merkelbach nagedacht. Alle details van de roofoverval op deze juwelier had hij nog eens de revue laten passeren. Wat voor scenario's hij er ook op losliet, het onbestemde gevoel dat er iets niet klopte in deze zaak, bleef hem achtervolgen. Toen hij Tessa in haar auto op het parkeerterrein zag arriveren, stond hij op van zijn bureaustoel. Bij de receptie liep hij haar tegemoet.

'Ik verwacht je over tien minuten in mijn kantoor,' zei hij op snauwerige toon. Hij zag een blik van verbazing in haar ogen.

'Goed,' antwoordde ze, en liep verder om eerst haar dienstwapen te gaan halen. André keek haar na en besefte meteen dat hij zijn toon een beetje moest matigen.

'Ik haal je met onmiddellijke ingang van de zaak-Merkelbach,' zei hij toen ze even later voor hem stond.

Haar gezicht klaarde op. 'Is de dader opgepakt, chef?'

'Nee,' antwoordde André. 'Maar ik heb intussen begrepen dat jij en Merkelbach privé iets met elkaar hebben.'

Een rode blos verscheen op Tessa's wangen. 'Stefan... ik bedoel meneer Merkelbach had me gisteravond uitgenodigd voor een dinertje. Natuurlijk hoopt hij dat de de zaak van de roofoverval op zijn winkel snel afgehandeld zal worden. Veel meer is er niet over gezegd.'

'Tja, zijn dossier sluit ik voorlopig nog niet af, Tessa. Er zijn nog te veel vragen waarop ik een sluitend antwoord mis. En als jouw privéleven en werk in elkaar overlopen, terwijl het onderzoek nog niet is afgerond, kun je de dingen niet meer objectief beoordelen. Een dergelijke relatie valt bij het korps onder de noemer afwijkend gedrag. Als het uit de hand loopt, krijg je een berisping. En dat wil ik graag voorkomen.'

André zag aan de uitdrukking op haar gezicht dat ze het niet leuk vond. 'Heeft iemand mij gisteravond soms gezien met Stefan Merkelbach?' vroeg ze aarzelend.

André knikte, maar zei niet dat hij zelf degene was geweest die haar gezien had. 'Je bent voorlopig nodig bij het oplossen van een andere zaak. Over vijf minuten is er een briefing in de zaal.'

'Oké, chef.'

Hij keek haar na toen ze zijn kantoor verliet. Haar reactie was hem meegevallen. Hij had verwacht dat ze veel heftiger tegen zijn besluit gereageerd zou hebben. André verzamelde alle papieren voor de briefing van de nieuwe zaak en verliet zijn kantoor. Hij nam zich voor Tessa voorlopig een beetje in het oog te houden. Stefan Merkelbach vertrouwde hij voor geen cent. Het gebeurde meer dan eens dat een misdadiger de politie probeerde te manipuleren.

Stefan keek verbaasd op toen twee andere agenten zijn winkel binnenkwamen voor de dagelijkse controle. 'Hebben agent Van Vliet en haar collega een vrije dag?' informeerde hij zo neutraal mogelijk. Hij had Tessa en haar collega verwacht, niet deze twee.

'Nee, agent Van Vliet en agent Wierda hebben op dit moment andere werkzaamheden,' was het antwoord. Daarna vroegen ze hem meteen of er nog bijzonderheden waren in het belang van het lopende onderzoek.

Stefan zei van niet. 'Het wordt tijd dat jullie de dader pakken,' mopperde hij opstandig. 'Ik heb een enorme schadepost. Die gestolen diamanten zijn een vermogen waard.'

'We zijn er druk mee bezig, meneer Merkelbach. Maar eerst willen we graag wat meer informatie over uw privéleven horen. Bent u getrouwd? Gescheiden? Zijn er soms anderen, bijvoorbeeld familieleden, die ook op de hoogte waren van de diamanten in uw kluis?'

Stefan fronste zijn wenkbrauwen bij deze stroom aan vragen. Gisteravond had hij Tessa verteld dat hij met een echtscheiding bezig was. Zou zij deze informatie intussen hebben doorgegeven aan haar superieuren? Had hij zich dan zo in haar vergist? Was ze alleen op zijn uitnodiging ingegaan om hem uit te horen? De schrik sloeg hem opeens om het hart. 'Ik ben twee maanden geleden gescheiden,' gaf hij eerlijk toe. 'Voorlopig alleen nog maar van tafel en bed. De definitieve scheiding is er nog niet door, maar dat zal niet lang meer duren. Mijn ex was niet op de hoogte van de diamanten in de winkelkluis. Doet u dus vooral geen moeite en valt u haar niet lastig.'

'Waar woont uw ex op dit moment?' vroeg de agent geduldig, en hij haalde een notitieblokje uit zijn zak.

Stefan gaf hem het postadres van Heleen in Nederland. 'Ze is er tijdelijk niet. Ik hoorde onlangs dat ze een paar weken met vakantie is gegaan,' zei hij.

De agenten gingen verder niet op zijn informatie in en verlieten het pand weer.

Stefan haalde opgelucht adem. Het zweet liep over zijn rug. Hij hoopte dat de politie niet al te dichtbij zou komen. Na zes uur belde hij Tessa vanuit zijn woonkamer. 'Ben je vanavond thuis?' vroeg hij. 'Heb je een kopje koffie voor een eenzame, hardwerkende man?' Hij hoorde haar aan de andere kant lachen. Haar lach joeg al zijn bange vermoedens weg. Tessa was op zijn hand. Hij hoorde het verlangen in haar stem toen ze zei dat ze het fijn zou vinden als hij vanavond wilde komen. Hij had zich niet in haar vergist. De glinstering in haar ogen was echt geweest. Ineens wist hij het zeker: ze was gek op hem. En hij was gek als hij daar geen gebruik van maakte. Als ze er op het politiebureau achter zouden komen dat hij een relatie had met een van hun collega's, zouden ze zich misschien wat minder vastbijten in de roofoverval op zijn winkel. Hij wilde er alles aan doen om het verzekeringsgeld zo snel mogelijk te incasseren. Wat extra hulp van agente Van Vliet was dan meer dan welkom.

6

Na een drukke werkweek bracht Tessa het pinksterweekend op 'De wijde blik' door. Het was duidelijk merkbaar dat de zomer snel naderde. De temperaturen bereikten al zomerse waarden, terwijl het pas begin juni was. Tessa vond het heerlijk stoom af te blazen in de wijde omgeving van het platteland. Zaterdagmiddag deed ze boodschappen met haar moeder, en zondagmorgen ging ze samen met haar ouders naar de kerk. De kerkzaal zat vol, en de gemeenteleden luisterden aandachtig naar de pinksterboodschap die de predikant bracht. Een verkondiging over de uitstorting van de heilige Geest, waaraan hij het zendingsbevel koppelde. 'Ga dus op weg en maak alle volken tot mijn leerlingen, door hen te dopen in de naam van de Vader en de Zoon en de heilige Geest, en hun te leren dat ze zich moeten houden aan alles wat ik jullie opgedragen heb. En houd dit voor ogen: ik ben met jullie, alle dagen, tot aan de voltooiing van deze wereld.'

Enkele rijen voor haar zaten Hanneke en Ben. Hun twee oudsten bezochten tijdens de dienst de kindernevendienst, en Thijs was in de crèche. Tessa nam zich voor Hanneke na de dienst nog even aan te klampen. Ze had haar al veel eerder willen bellen, maar het was er door allerlei omstandigheden niet van gekomen. Haar ogen dwaalden langs de andere rijen. Jessica, die 's zondags meestal naar deze kerk kwam, miste ze ineens ook. Dat was vreemd. Met de feestdagen waren Jessica en Peter juist altijd present. Misschien had Jessica weer last van migraine, net als vorige week. Tessa concentreerde zich op de predikant. Na de preek zongen de gemeenteleden nog een lied, waarna Tessa's gedachten opnieuw afdwaalden. Ze was de chef dankbaar dat hij haar met Pinksteren drie dagen vrij had gegeven. Samen met Ernst en enkele rechercheurs had ze de zaak van de heroïnevondst in het café intussen opgelost. Dat was boven verwachting snel gegaan. Drie arrestanten die intussen hadden bekend, moesten dinsdag voor de officier van justitie verschijnen. Bontekoe was trots geweest op het team-werk. Daarnaast had Tessa de afgelopen week regelmatig contact gehad met Stefan. Ze vond het heerlijk naast hem te zitten, met hem te praten en samen met hem te wandelen. Ze leerde hem al snel beter kennen. Vrijdagavond, voordat ze naar 'De wijde blik' vertrok, had hij haar voor het eerst aarzelend op de mond gekust. Ze kreeg het nog warm als ze daaraan terugdacht. Zolang het politieonderzoek in de zaak van de roofoverval nog niet was afgesloten, wilde ze haar ouders niets vertellen over hun relatie. Ze vond het moeilijk die te verzwijgen, maar haar ouders zouden zich extra bezorgd maken. Na de dienst hield Nicolien haar nog even aan de praat. Toen ze vervolgens in de richting keek van de rij waar Hanneke en Ben hadden gezeten, miste ze hen. De stoelen waren leeg. Tessa wrong zich door de mensenmenigte heen. Ze waren natuurlijk Kim en Niek ophalen. Maar de kindertjes Jongsma waren al weg. En Thijs was ook niet meer in de oppasdienst. 'De familie Jongsma had vandaag nogal haast,' zei de leidster toen ze naar hen vroeg. Teleurgesteld verliet Tessa de kerk, samen met haar ouders. Jacco en Nicolien volgden met hun jongens. Het was gebruikelijk 's zondags na de kerkdienst koffie te drinken op 'De wijde blik'. Tessa nam zich voor Hanneke straks nog even te bellen.

Nadat Tessa samen met moeder koffie had rondgedeeld, ging de voordeurbel.

Vader liep haastig naar de gang en kwam even later terug met een ferme jongeman in zijn kielzog. 'Dit is Bert de Jager,' stelde vader hem voor.

Bert ging het rijtje af en gaf Tessa als laatste een hand.

'Bert heeft kortgeleden de boerderij van Aartje Vogelaar overgenomen, even buiten Almkerk,' voegde vader eraan toe. 'Hij is intussen een goede huisvriend geworden, hè, Bert?' Vader gaf een vriendschappelijke klap op zijn schouder. Bert knikte gedwee, als op afspraak. Vervolgens keek hij verlegen rond.

'Als jij nu eens naast onze Tessa gaat zitten,' hoorde Tessa haar vader zeggen. 'Dan kunnen jullie samen wat praten en elkaar meteen wat beter leren kennen.'

Tessa keek haar vader met een geïrriteerde blik in haar ogen aan. Het was zo doorzichtig als glas dat vader haar voor de zoveelste keer wilde koppelen aan een man. Ze zuchtte diep en beet geërgerd op haar lip.

Bert probeerde meteen een gesprek op gang te brengen. Zijn handen rolden daarbij handig vloei en shag tot een sigaret.

Moeder voorzag hem van koffie en koek.

Tessa ving een knipoog op van Jacco, die tegenover haar aan tafel zat. Om niet al te onbeleefd over te komen gaf ze Bert slechts antwoorden op zijn vragen. Tot een echt gesprek kwamen ze niet, want Tessa sprong snel op om moeder te helpen met een tweede rondje koffie.

'Waarom zadelt pap me toch steeds op met zulke kerels? Ik heb hier een gruwelijke hekel aan, ma,' zei ze in de keuken.

'Vader bedoelt het goed, meisje. Bert is een aardige kerel. Net iets voor jou.'

'Ik wil het niet op deze manier, ik...' Tessa werd onderbroken door het geluid van haar mobiele telefoon. Het was Hanneke.

'Je was zo snel weg na de kerkdienst,' zei Tessa toen ze Hannekes stem in haar oor hoorde. 'Ik had graag nog even met je willen praten.'

'Kan ik even naar je toe komen, Tess. Of hebben jullie koffievisite?' Er trilde iets in de stem van Hanneke.

Tessa spitste haar oren. 'Koffievisite of niet, dat maakt helemaal niets uit, Hanneke. Kom maar. Desnoods lopen we een eind de polder in. Het zonnetje schijnt. Dat is leuk voor de kinderen. Er staan volop weidebloemen in bloei die ze kunnen plukken.'

'De kinderen komen niet mee. Ben heeft ze een paar uurtjes meegenomen naar zijn ouders. Ik ben zelf thuisgebleven, omdat ik tegen Ben heb gezegd dat ik me beroerd voelde en een paar uurtjes wilde rusten. Maar de waarheid is dat ik je dringend onder vier ogen wil spreken, Tessa. Dat mag Ben niet weten.'

Een halfuur later reed Hanneke het erf op van 'De wijde blik'.

Tessa had moeder nog geholpen met het rondelen van een tweede kop koffie, maar daarna was ze niet meer naar de kamer teruggegaan. Bert was ondertussen in gesprek met Jacco. Vader had haar ietwat misprijzend nagekeken toen ze de kamer verliet met de mededeling dat ze Hanneke verwachtte. Zijn vooropgezette plannetje haar aan Bert te koppelen leek bij voorbaat mislukt. Tessa was allang blij dat ze Bert de Jager niet opnieuw onder ogen hoefde te komen.

'Wil je eerst een kop koffie?' bood Tessa gastvrij aan.

Hanneke sloeg de koffie af. Haar behuilde ogen zagen rood, en over haar wangen liep een spoor van opgedroogde tranen.

Ze liepen samen zwijgend het erf af, de polder in. Tessa wist zeker dat er iets ernstigs aan de hand was. Hanneke leek nu wel vrij rustig, maar ze was erg overstuur geweest. Het stond op haar gezicht te lezen.

'Wat is er met je, Hanneke? Gaat het om Jessica?'

'Nee, niet direct. Met Jessica heb ik nog steeds geen contact, maar het gaat op dit moment over iets anders.'

'Heb je ruzie gehad met Ben?'

'Nee, we hebben geen ruzie. Maar Ben is opnieuw in opspraak. Weet jij nog die keer dat ik je over die roddeltante van het zwembad vertelde? Lindsay... Lindsay Visser, zo heet ze. Lindsay heeft gisteravond weer gebeld. Ze beklaagde zich voor de tweede keer over Ben, dat hij steeds seksistische opmerkingen maakt. En als ik mijn echtgenoot in het vervolg niet in het gareel kon houden, ging ze aangifte doen bij de politie. Dat heeft ze gezegd, Tessa.' Hanneke verloor haar zelfbeheersing en snikte het uit. 'Ik weet niet meer wat ik moet geloven. Zoiets doet Ben toch niet?'

Tessa sloeg haar arm om de schouders van Hanneke. 'Rustig maar, Hanneke. Als jij het goedvindt, ga ik Lindsay Visser eens opzoeken om een babbeltje met haar te maken. Dan kom ik er snel genoeg achter hoe de vork in de steel zit.'

'Ben doet zoiets niet. Dit roddeltje geloof jij toch niet, Tessa?'

'Nee, ik kan het me net zo min voorstellen als jij. Lindsay Visser moet een goede reden hebben om jullie huwelijk op deze manier onder druk te zetten.'

Hanneke wreef met een zakdoek haar tranen weg. 'Ik vind het erg bizar dat ze dat op deze manier doet.'

'Heb je het adres van Lindsay Visser voor me?'

Hanneke schudde haar hoofd. 'Nee. En ik durf er Ben niet naar te vragen.'

'Ik kom er zelf wel achter,' zei Tessa. Ze tuurde in de verte, waar donkere wolken aan kwamen drijven. Ze vond het vreemd dat Lindsay Visser zich opnieuw beklaagd had bij Hanneke. Wat voor rol speelde Ben eigenlijk in deze kwalijke situatie, vroeg ze zich peinzend af.

Hanneke zag de donkere lucht ook aankomen. 'Ik ga weer naar huis. Ik wil thuis zijn voordat Ben thuiskomt.'

Ze liepen gearmd terug naar 'De wijde blik'. Daar kwam juist Bert de Jager naar buiten lopen.

'Ha, die Tessa,' riep hij blij. 'Kom eens een keer naar mijn boerderijtje kijken. Ik weet zeker dat je versteld zult staan van alle veranderingen die ik heb aangebracht.'

'Het spijt me, Bert. Ik heb weinig vrije tijd, door mijn drukke baan bij de politie,' antwoordde Tessa afgemeten. Ze keurde Bert daarna geen blik meer waardig.

Bert startte hoofdschuddend zijn auto en reed weg.

Tessa trok vervolgens het autoportier van Hannekes auto open, zodat Hanneke kon instappen.

'Ik ben je maar tot last,' zuchtte Hanneke, die haar autogordel vastgespte. 'Je wilt graag bemiddelen om Jessica en mij weer bij elkaar te brengen. En nu probeer je opnieuw de kastanjes voor me uit het vuur te halen door met Lindsay Visser te gaan praten.'

'Jij bent me niet tot last, Hanneke. Je bent mijn beste vriendin.' Tessa sloeg het autoportier met een glimlach dicht.

Hanneke draaide nog even het raampje open voordat ze wegreed. 'Bedankt, voor je vriendschap. Die is erg kostbaar voor me.' Het raampje ging weer dicht.

Tessa zwaaide naar Hanneke toen ze de polderweg op reed en liep daarna via het achterhuis naar binnen.

André betrapte zich erop dat hij er een gewoonte van had gemaakt de parkeerplaats achter zijn pension in de gaten te houden. Daar stonden zijn auto en zijn motor geparkeerd, en ook de auto van Tessa. Als hij haar auto miste en wist dat ze niet hoefde te werken, vroeg hij zich af waar ze naartoe was. Hij kwam er via personeelsgegevens achter dat ze afkomstig was van het platteland. Ernst vertelde hem dat ze haar vrije dagen vaak huis doorbracht om stoom af te blazen. Ze waren samen een prima team, Ernst en Tessa. Ze vulden elkaar aan en waren goed op elkaar ingespeeld. Ze hadden in de achterliggende jaren al heel wat ernstige delicten opgelost. Jammer dat Tessa persoonlijk te veel betrokken was geraakt bij de Merkelbach-zaak. André vroeg zich af of Tessa in haar privéleven nog steeds een frequent contact had met Stefan. Hij hoopte dat het van voorbijgaande aard zou zijn. Die Stefan Merkelbach stond hem niet aan. Zeker niet nu hij van Claudia en Julian had vernomen dat de ex-vrouw van Stefan tijdelijk in Argentinië verbleef. Hij vond het een beetje verdacht. Theoretisch kon hij er allerlei scenario's op loslaten, maar het bewijs dat Stefan met die roofoverval de boel voor de gek hield, had hij nog steeds niet. Afgelopen vrijdag had de verzekeringsmaatschappij van Merkelbach hem nog gebeld om te informeren naar het politieonderzoek. Ze mochten de geleden schade pas uitbetalen wanneer ze het afgesloten politierapport van de zaak hadden ontvangen. André had doorgegeven dat hij deze roofoverval nog niet kon afsluiten vanwege enkele ontbrekende details. De verzekeringsmaatschappij had meteen genoegen genomen met zijn antwoord. Als er iets was wat ze niet graag deden, was het wel het uitbetalen van een geleden schadepost zoals Stefan Merkelbach die had ingediend.

André kwam na werktijd thuis en trok zijn politiejas uit. Hij wierp het kledingstuk met een diepe zucht over een stoel. De eerste pinksterdag zat erop. Hij had dienst gehad, en de uren waren tergend langzaam voorbijgegaan, met veel slepende zaken waarbij huiselijk geweld en verkeersongelukken een grote rol speelden. André nam de afstandsbediening van de televisie in zijn hand en wilde juist gaan zitten, toen de voordeurbel ging. Er verscheen een frons in zijn voorhoofd. Hij verwachtte niemand. Door het spionnetje in zijn voordeur zag hij dat Tessa voor zijn deur stond. Hij zwaaide de deur snel open en keek haar verrast aan. Het deed hem goed haar te zien. Ze was de afgelopen dagen vrij geweest, en hij had haar aanwezigheid op het bureau gemist.

'Collega, wat een aangename verrassing,' zei hij met een brede glimlach.

'Ik zag je vanuit mijn woning thuiskomen, André. Heb je even tijd voor me? Ik moet je dringend spreken.'

Hij zag nu pas haar witte weggetrokken gezichtje. Hij deed een stap opzij, zodat ze voor hem langs kon lopen. 'Heb je soms iets te melden over de zaak Merkelbach?' Hij keek haar hoopvol aan en gebaarde naar een stoel waarop ze kon gaan zitten. Zelf nam hij plaats tegenover haar.

'Merkelbach?' Ze scheen verbaasd te zijn over zijn vraag. 'Nee, daar gaat het niet om. Ik maak me ernstig bezorgd over de man van mijn vriendin.'

André moest een gevoel van teleurstelling wegduwen. Hij had even gedacht dat ze met een bewijs tegen Stefan Merkelbach op de proppen zou komen. 'Je vriendin?'

'Ja, mijn vriendin. Hanneke Jongsma en ik zijn al dikke vriendinnen vanaf de kleuterschooltijd. Nu sta ik voor een ernstig dilemma, en ik weet niet goed hoe ik hiermee moet omgaan.'

'Betreft het een echtelijk probleem of gaat het om een strafbaar feit?'

'Tja,' antwoordde ze aarzelend, 'dat kan ik nog niet met zekerheid zeggen.'

'Nou, steek maar eens van wal,' moedigde hij haar aan. Ze had zijn volledige aandacht.

'Kan ik na Pinksteren nog een paar vakantiedagen opnemen.

Het is dringend. Ik heb tijd nodig om het een en ander uit te zoeken.'

Het viel hem tegen dat ze hem inhoudelijk niet in vertrouwen wilde nemen. Hij dacht daarnaast meteen aan de personeelsbezetting bij het korps. De komende dagen was het wat aan de krappe kant, met daarbij een ziekmelding, maar het zou wel lukken. Desnoods offerde hij zijn eigen vrije dagen op om Tessa tegemoet te komen. 'Het korps kan je wel even missen,' zei hij glimlachend. 'Maar pas wel op dat je niet op je eigen houtje politieagentje gaat spelen?'

'Nee, dat is mijn bedoeling niet. Bedankt, André.' Ze wilde opstaan om weg te gaan.

'Blijf je een hapje eten? Ik heb alles in huis voor een lekkere uitsmijter.' Hij wilde maar wat graag dat ze nog een poosje zou blijven. Hij zag dat zijn vraag haar verraste.

Tessa aarzelde een moment, wilde zijn voorstel afwijzen, maar knikte uiteindelijk toch. 'Ja, graag. Ik lust wel wat.'

'Zullen we dan samen in de keuken eieren bakken? Een beetje hulp kan ik wel gebruiken. Ik heb een drukke dag achter de rug.'

Ze stond al op en trok haar vest uit. Om haar mond verscheen een glimlach. Haar bleke gezichtje kreeg weer een kleur. 'Goed, laten we samen iets klaar maken.'

André kwam ook omhoog. Hij was blij met haar onverwachte gezelschap. Het voelde heel vertrouwd, alsof hij haar al jaren kende.

Tessa hoefde niet veel moeite te doen om achter het adres van Lindsay Visser te komen. Toen ze bij het zwembad om informatie vroeg, kreeg ze alle medewerking. Ze wilde niet langer wachten om Lindsay ter verantwoording te roepen over de verontrustende telefoontjes aan Hanneke. Het was maandagmiddag, tweede pinksterdag, precies vier uur. Ze keek omhoog naar de studentenflat voor haar. Het naamplaatje met L. Visser verwees haar naar de eerste verdieping. Tessa drukte op de bel. Het duurde even. Tessa bedacht net dat ze Lindsay waarschijnlijk niet in deze flat zou aantreffen met de feestdagen. Maar door de intercom klonk plotseling een stem. 'Wie is daar?'

'Tessa van Vliet,' antwoordde Tessa. 'Ik wil even met je praten, Lindsay.'

'Ik ken geen Tessa van Vliet.'

Nee, natuurlijk wist ze niet wie zij was, bedacht Tessa. Lindsay zou voor een vreemde de deur van het trappenhuis waarschijnlijk niet openen. Ze moest iets anders verzinnen.

'Politie. Ik heb een paar vragen.'

Er klonk een zoemer, en de buitendeur sprong open. Tessa glipte naar binnen en stond binnen enkele tellen op de eerste verdieping.

Lindsay, een knap meisje van hooguit twintig jaar, met blond haar tot op haar schouders, stond in de deuropening, tegen de deurpost geleund. Ze hield een brandende sigaret tussen haar vingers. 'Zo, zo. Daar hebben we de politie in burger.' Haar stem klonk spottend. 'Je hebt me met dat smoesje vast iets voorgelogen om binnen te komen.'

'Nee, heus. Ik ben echt politieagente. Alleen gaat het deze keer om een privéaangelegenheid waarover ik graag even wil praten.'

Lindsay knikte aarzelend en fronste haar wenkbrauwen. 'Wat wil je van me? Is er iets gebeurd?'

Tessa haalde diep adem. Ze was benieuwd naar de eerste reactie van Lindsay toen ze zei: 'Het gaat over je telefoontjes naar Hanneke Jongsma, de vrouw van Ben.'

Er trok een schaduw over het gezicht van Lindsay. Haar mondhoeken trok ze naar beneden. 'Ik heb een hekel aan die vieze vent,' mompelde ze.

Tessa zag dat ze het meende.

'Kom maar even binnen,' nodigde Lindsay haar uit. 'Heeft Hanneke Jongsma je soms ingeschakeld om contact met me op te nemen?'

Tessa volgde Lindsay naar een keurig ingerichte kamer, met aan de zijwand een bed. Ze gingen aan een tafel tegenover elkaar zitten. 'Nee, ze heef me alleen van je verontrustende tele-foontjes verteld. Daar is ze erg van geschrokken. Hanneke is mijn beste vriendin. Vandaar dat ik meer wil weten.'

'Ben je echt bij de politie?'

'Ja, dat is mijn beroep.'

'Het spijt me van die telefoontjes aan Hanneke. Maar ik kon niet anders.' Lindsay stuurde het gesprek meteen de goede richting op.

'Klopt het dat Ben Jongsma je seksueel intimideert?' vroeg Tessa haar op de man af. Ze was er eigenlijk meteen van over-tuigd dat Lindsay haar de waarheid zou vertellen. Tegenover haar zat geen jaloerse roddeltante, zoals ze eerder gedacht had. Het meisje zag er aangedaan uit.

Lindsay knikte, ietwat in verlegenheid gebracht door de di-recte vraagstelling. Ze drukte haar sigaret uit in een asbak. Haar vingers beefden. 'Ik verdien een extraatje in de kantine van het zwembad met de verkoop van koffie, frisdrank, zout-jes, patat enzovoort. Ben speelt waterpolo en komt na de wed-strijden vaak een glas cola drinken, net als zijn andere team-genoten. O, lust je soms een glas cola?'

'Lekker,' antwoordde Tessa. Ze mocht dit meisje wel. Ze was gastvrij en open. Het was duidelijk dat ze Hanneke niet met een smoesje had opgebeld. Wat ze te vertellen had, was heel ernstig. De waarheid was hard. Lindsay schonk twee gla-zen cola in en ging weer zitten.

'Ben blijft nu een training of een wedstrijd meestal langer in de kantine hangen en kan dan niet met zijn handen van me af-blijven. Dat gaat al maanden zo. Hij heeft me na werktijd zelfs al twee keer opgewacht. Hij flirtte met me en werd daarbij be-hoorlijk opdringerig en erg brutaal. Hij bedreigde me de laat-ste keer zelfs. Het was heel intimiderend, en ik ben bang dat hij op een dag te ver gaat. Ik houd er niet van dat getrouwde mannen handtastelijk worden. Daarom heb ik zijn vrouw ge-beld. Als zij Ben niet op zijn gedrag wil aanspreken, ben ik ge-noodzaakt aangifte te doen bij de politie. Wat hij doet, mag toch niet? Ik wil geen vreemde kerels aan mijn lijf.' Lindsay zuchtte diep. 'Hè, het lucht wel op dat ik er met iemand over kan praten.'

Tessa beloonde haar met een vriendelijke glimlach. Haar hart kromp ineen toen ze bedacht wat Ben dit jonge meisje had aangedaan. Maar niet alleen dit jonge meisje. Er trok een pijnscheut door haar borst toen ze aan Hanneke dacht en aan hun drie kindertjes. Wat deed Ben zijn gezinnetje aan door een jong meisje seksueel te intimideren?

'Ik vind het dapper van je dat je zo eerlijk bent,' antwoordde Tessa.

'Dus je gelooft me?'

'Absoluut,' zei Tessa stellig.

'Ik ben niet de enige, hoor,' ging Lindsay verder. 'In de wandelgangen wordt er nogal over Ben geroddeld. Hij valt andere meisjes ook lastig. Dat heb ik tenminste gehoord.'

'Heb je namen voor me?' Tessa trok een klein kladblokje uit haar handtas waaraan een pen vastzat.

'Ik wil niet klikken,' zei Lindsay aarzelend. 'Of hebben anderen zich ook al bij Hanneke beklaagd?'

Tessa schudde haar hoofd en probeerde Lindsay uit te leggen dat het beter was alle namen op te geven. 'Ik wil dit tot op de bodem uitzoeken, Lindsay. Het mag zo niet verder gaan, vind je ook niet? Dat is niet best voor jou, voor de anderen, maar ook niet voor Hanneke. Ik hoop dat je dat kunt begrijpen.'

'Ik vind het ook erg voor Hanneke. Ze komt op zaterdagmiddag wel eens naar een wedstrijd kijken met die twee kleintjes en dat kleine jochie in de kinderwagen. Ik voel me dan zo rot... zo... schuldig. Heus, ik lok het echt niet uit. Ik heb zelfs een bloedhekel aan die arrogante Ben Jongsma,' hakkelde Lindsay. Er sprongen tranen in haar ogen. 'Wat ga jij eraan doen om te voorkomen dat hij me weer lastig valt en handtastelijk wordt?'

'Schrijf de namen van die andere meisjes maar op.' Tessa gaf het kladblokje in Lindsays hand. 'Vertel eens, wanneer moet je weer werken wanneer er waterpolo wordt gespeeld?'

'Woensdagavond heb ik weer kantinedienst, van zeven tot

tien uur. Dan spelen de waterpoloërs opnieuw een competitiewedstrijd. Ik zie er nu al tegen op.'

'Ik beloof je dat ik vóór die tijd Ben op zijn gedrag aanspreek. Het is overigens je goed recht officieel aangifte te doen
bij de plaatselijke politie. Ik kan je daarbij helpen.'

Lindsay keek haar aan. 'Daar wacht ik nog even mee. Misschien kun jij alsnog iets bereiken, zodat Ben stopt met zijn
walgelijke gedrag.'

Tessa haalde opgelucht adem. Ze had Hanneke voorlopig
niet meer in de ogen durven kijken als ze Lindsay moest helpen met een aangifte tegen Ben. Maar ze mocht niet nalaten
Lindsay op haar rechten te wijzen. Per slot van rekening was
zij het slachtoffer van onbetamelijk gedrag.

'Dat ga ik regelen. Fijn, dat je ondanks alle narigheid ook
een beetje rekening wilt houden met Hanneke. Ze is vreselijk
overstuur.'

'Dat snap ik.' Lindsay krabbelde enkele namen in het kladblokje en gaf het aan Tessa terug, die het weer veilig opborg.
'Het spijt me dat mijn telefoontje haar overstuur heeft gemaakt.'

Tessa stond op. Er was werk aan de winkel. En het kon geen
dag langer wachten.

'Voel je vooral niet schuldig, Lindsay. Per slot van rekening
is het de schuld van Ben. Bedankt voor alle informatie.'

Toen Tessa weer in de veilige beslotenheid van haar auto zat,
legde ze haar hoofd, dat bonkte van de hoofdpijn, op het
stuurwiel. Tijdens haar gesprek met Lindsay had ze zichzelf
goed weten te houden. Maar nu stortte haar zelfverzekerde
houding, die ze als pose had aangenomen, als een kaartenhuis
in elkaar. Hanneke zou een moeilijke tijd tegemoetgaan als ze
erachter kwam waar Ben mee bezig was. Ze vond het schokkend. Zoiets was nauwelijks te geloven. Tessa zocht in haar
hoofd koortsachtig naar een manier om Hanneke te ontzien.
Ze mocht voorlopig nog niets weten. Of dat zou lukken, wist
Tessa niet. Ze had zeker een dag of twee nodig om de handel
en wandel van Ben na te gaan.

Ze duwde haar pijnlijke hoofd omhoog en startte de auto. Ze zou naar huis rijden en kijken of de chef al thuis was. Ze had nog wat vakantiedagen staan, waar ze uiteindelijk zijn toestemming voor nodig had om die met onmiddellijke ingang op te nemen.

De uitsmijter smaakte goed. Na het eten verontschuldigde Tessa zich dat ze André met de vaat achterliet.

Hij had haar hulp geweigerd. 'Als je me de komende dagen nodig hebt, weet je me te vinden,' waren zijn woorden geweest. 'Aarzel niet te bellen.'

Ze stond voor het raam van haar appartement en keek naar buiten. Ze zag niets. Het was intussen donker geworden, en haar hoofd zat vol gedachten over Ben. Hoe kon ze deze situatie zo discreet mogelijk aanpakken zonder Hanneke onnodig te kwetsen, vroeg ze zich af. Ze haalde het kladblokje tevoorschijn waarin Lindsay drie namen had opgeschreven. Blijkbaar waren er nog drie andere slachtoffers. Wat was er in Ben gevaren dat hij andere vrouwen seksueel intimideerde? Zo kende ze Ben niet. Hij was nog nooit in opspraak geweest. De tranen sprongen haar herhaaldelijk in de ogen als ze aan de kindertjes van Hanneke en Ben dacht. Besefte Ben dan niet dat hij naast Hanneke ook zijn kinderen opzadelde met negatieve roddel? Dat hij op deze manier ook smaad over zijn gezinnetje haalde.

Tessa's mobiele telefoon ging over. Ze hoorde de stem van Stefan en was verrast, omdat ze de laatste uren nauwelijks een moment aan hem had gedacht door de ernst van de situatie waarin Ben zich bevond.

'Ik heb je tijdens de pinksterdagen gemist,' hoorde ze Stefan zeggen. 'Het is zo stil zonder jou.'

Tessa's hart maakte een sprongetje. Nog niet eerder had een man haar gemist. De laatste dagen had ze er nauwelijks bij stilgestaan, maar nu drong de eenzaamheid zich weer aan haar op. 'Ik ben bij mijn ouders geweest. Daar ga ik meestal heen tijdens mijn vrije dagen.'

'Waar wonen je ouders?' hoorde ze hem vragen.

Tessa vertelde over 'De wijde blik', op het platteland, waar ze zo graag voor haar rust naartoe ging.

Stefan vroeg of ze vanavond soms een poosje bij hem wilde komen, om iets te drinken. 'Je hebt mijn woning bij de zaak nog niet gezien,' zei hij.

Tessa aarzelde, maar weigerde toen toch. Ze wilde zich eerst concentreren op de beschuldigingen van Lindsay aan het adres van Ben. 'Voorlopig ben ik de komende twee dagen met iets anders bezig, Stefan. De tijd ontbreekt me,' verontschuldigde ze zich.

'Heeft het met je werk te maken?'

'Niet echt. Het is privé en het heeft met mijn vriendin te maken.'

'Je maakt me nieuwsgierig,' hoorde ze Stefan in haar oor lachen. 'Heeft het toevallig ook niet een beetje met mijn dossier bij de politie te maken?'

Het verbaasde Tessa een ogenblik dat Stefan haar deze vraag stelde. Het klonk een beetje achterdochtig. Maar die gedachte schudde ze meteen van zich af. Zo bedoelde Stefan het vast niet.

'Nee, hoor. Met jouw zaak zijn anderen bezig, Stefan. Ik hoop dat ze de dader zo snel mogelijk vinden.'

Stefan vroeg haar daarna of hij over twee dagen nog eens mocht bellen.

'Graag,' had Tessa geantwoord. Ze zag er nu al naar uit. Maar eerst wilde ze de vrouwen opsporen die door Lindsay in het kladblokje waren opgeschreven. Aan het eind van de avond kwam ze achter de adressen van het drietal. Via het telefoonboek en een ijverig bestuurslid van de waterpolovereniging kreeg ze de adressen van Esther Kraal, Karina Slot en Judy Hamers in handen.

De volgende dag begon ze al vroeg met haar speurtocht. Esther en Judy had ze al snel gesignaleerd toen ze 's morgens vroeg naar hun werk fietsten. Ze nam zich voor hen na werktijd op te wachten voor een praatje. Voor het huis van Karina

Slot wachtte ze in haar auto tot na het middaguur. Tegen de klok van halftwee verscheen Karina in de voordeur met een boodschappentas in de hand. Een jonge vrouw, niet veel ouder dan Lindsay Visser. Tessa bedacht zich geen moment en stapte op Karina af.

'Ik wil je graag een paar vragen stellen over Ben Jongsma, van de waterpoloploeg,' zei ze, nadat ze zich had voorgesteld.

Met gefronste wenkbrauwen keek Karina haar aan. 'Bent u soms van de politie?'

Tessa negeerde de vraag van Karina. 'Word je ook weleens lastig gevallen door Ben?'

'Laat me met rust.' Karina wilde zich omdraaien, maar Tessa greep haar bij de pols.

'Alsjeblieft. Dit blijft tussen ons.'

Karina keek haar onderzoekend aan en haalde nonchalant haar schouders op. 'Ben Jongsma is een arrogante kwast. Meer wil ik er niet over kwijt. Verder valt er ook niets te zeggen.'

Daar moest Tessa het mee doen.

Esther en Judy reageerden na werktijd op vrijwel precies dezelfde wijze. Ben bleek in de omgang een nare, vervelende vent te zijn. Maar verder had hij volgens de beide meisjes geen kwaad in de zin.

Met deze verklaringen moest Tessa het doen. Het luchtte haar enigszins op, maar haar argwaan verdween er niet mee. De drie meiden hadden haar zomaar iets voorgelogen of ze durfden het achterste van hun tong niet te laten zien. Tessa vreesde voor het laatste. Dat had een jarenlange ervaring bij de politie haar intussen wel geleerd. Ze had nu alleen maar een belastende verklaring van Lindsay. Was het soms Lindsays bedoeling de zaak op scherp te zetten, vroeg ze zich af. Had Lindsay niet schromelijk overdreven met haar beschuldigingen? Tessa liet het gesprek met Lindsay nog eens de revue passeren. Nee, ze was overtuigd van de oprechtheid van Lindsays verhaal. Met dit gegeven zou ze Ben moeten confronteren, nog vóór woensdagavond zeven uur. Met een beetje goede wil van zijn kant zou hij daarna nooit meer in herhaling vallen. Als hij Lindsay vanaf nu met rust zou laten, zou Hanneke geen verontrustende telefoontjes meer krijgen.

7

Stefan had na sluitingstijd van zijn winkel een afspraak met de makelaar gemaakt. Tijdens de pinksterdagen had hij een definitieve beslissing genomen om zo snel mogelijk over te gaan tot de verkoop van zijn winkel en de daarnaast gelegen woning met garage. Heleen had hem afgelopen week drie keer gebeld en hem dringend verzocht voor een aanbetaling van hun nieuwe huis in Argentinië te zorgen. Het bedrag moest binnen een maand overgeschreven worden op een bankrekeningnummer dat zij hem had opgegeven. Hoewel Stefan nog steeds hoopte op een snelle illegale verkoop van de gestolen diamanten, gaf het hem meer rust alvast definitief over te gaan tot de verkoop van zijn winkel en huis. De winkel en zijn woonhuis stonden op een zeer gewilde plek, midden in het centrum van de stad. Hij rekende op een snelle verkoop. Jammer, dat hij hier niet eerst met Tessa over had kunnen praten. Ze was met het pinksterweekend een paar dagen naar haar ouderlijk huis gegaan, had ze hem aan de telefoon verteld. Heel even dreigde hij in paniek te raken toen ze hem ook vertelde dat ze de komende twee dagen met iets anders bezig was, en dat ze hem voorlopig niet kon ontmoeten. Het ging over een privéaangelegenheid, iets wat met haar vriendin te maken had.

Zou Tessa de waarheid spreken, vroeg hij zich achterdochtig af. Misschien werkte ze achter de schermen wel mee aan de oplossing van de roofoverval op zijn winkel. Stefan zuchtte. Soms besloop hem een onaangenaam gevoel wanneer hij aan Tessa dacht. Ze was en bleef toch politieagente. Hij bevond zich met haar in het hol van de leeuw. Als ze ook maar iets zou vermoeden van wat hem bezighield, betekende dat meteen het einde van een mooie toekomst met Heleen in Argentinië. Hij had Tessa zo graag zijn woning laten zien en haar als eerste op de hoogte willen brengen van zijn plannen om alles te verkopen. Hij wilde haar overtuigen van zijn zogenaamde angst voor een nieuwe roofoverval op de juwelierswinkel. Stefan piekerde zich suf. Tessa zou hem meteen geloven; daarvan was hij min of meer overtuigd. Met de verkoop van zijn winkel en zijn huis wilde hij bij het politiekorps namelijk geen slapende honden wakker maken, geen argwaan wekken. Zo lang Tessa hem geloofde, kon hij haar als buffer gebruiken in het nog lopende politieonderzoek. Dan zou niemand onraad vermoeden. Hij moest voorlopig nog een poosje geduld zien op te brengen. Het wachten was op de verdeling van de buit wanneer de diamanten op de zwarte markt verpatst zouden zijn. Het duurde allemaal tergend lang, en hij was volkomen afhankelijk van Joop.

Joop! De gedachten van Stefan stokten. Hij moest Joop bellen. Joop moest ook op de hoogte worden gebracht van de verkoop van zijn huis en zijn winkel, of hij er nu achter stond of niet.

'We hadden toch afgesproken dat je de zaak pas te koop zou zetten wanneer het politieonderzoek afgerond was?' Joop reageerde geprikkeld toen Stefan het hem had verteld. Hij had ook liever niet dat Stefan steeds telefonisch contact zocht met hem. Dat bracht onnodige risico's met zich mee. De politie had de beschikking over geavanceerde afluistermethoden.

'Het duurt te lang, Joop. Heleen wil dat ik binnen een maand met een fiks bedrag over de brug kom. Ze heeft een huis op het oog.'

Het bleef even stil aan de andere kant van de lijn. Joop was een denker. Stefan begreep dat hij even wat meer tijd nodig had om de situatie te overdenken.

'Nou, misschien kan het geen kwaad,' antwoordde Joop vervolgens. 'Er is intussen een relatie die interesse heeft getoond in de aangeboden handel. Vrijdagavond heb ik een afspraak. Wat denk je? Zullen we het erop wagen?'

'Is de kust al veilig?' fluisterde Stefan. 'Denk je dat de illegale verkoop van de diamanten onopgemerkt zijn gang kan gaan?'

'Volgens mijn tipgever is de aandacht van de politie momenteel al wat afgezwakt. Als die relatie het gevraagde bedrag wil neertellen voor dat goedje, ga ik akkoord. Het heeft intussen lang genoeg geduurd, Stefan. We worden allebei alleen maar nerveuzer van de situatie waarin we ons bevinden.'

Stefan hoorde Joop hoesten aan de andere kant van de lijn. Joop had gelijk. Ze hadden van tevoren geen rekening gehouden met een slepende politiezaak. Iedere dag vanaf vandaag was een dag te lang.

'Als je het handeltje kunt verkopen voor een goed bedrag, moet je het doen, Joop. Mijn toestemming heb je.'

Stefan verbrak de telefoonverbinding. Joop had hem gerustgesteld over de verkoop van zijn winkel en zijn huis. De diamanten naderden na lang wachten eindelijk hun bestemming. Over niet al te lange tijd hoopte Stefan over het geld te kunnen beschikken. En als Bontekoe het politieonderzoek een dezer dagen wilde afsluiten, zou de verzekering ook over de brug komen. Nee, voorlopig kon er niets misgaan.

Stefan ontving vervolgens de makelaar, die met een schattende blik door zijn winkel en zijn huis liep. Morgen zou er iemand komen voor een taxatierapport. En aan het eind van de week zou er een eerste advertentie verschijnen in de plaatselijke krant.

'Dit winkelpand met het woonhuis bent u binnen twee weken kwijt,' voorspelde de makelaar. 'Er is veel vraag naar winkelpanden in dit deel van het centrum van de stad.'

Tevreden sloot Stefan de deur achter de man.

De zaak-Merkelbach zat muurvast. André had nog geen enkele vooruitgang geboekt in het onderzoek. Alles leek op het eerste oog te kloppen. Maar over een paar bijzonderheden tijdens en rondom de roofoverval op de winkel van Stefan Merkelbach bleef André toch nog piekeren. Er klopte iets niet. Merkelbach had nog niet eerder zijn medewerkster een uur eerder naar huis gestuurd. Tijdens de koopavond van de overval was de eerste keer geweest. Hij vond het uiterst merkwaardig. André zag dingen die de anderen niet zagen. Dat was in het verleden bij het andere korps wel vaker gebeurd. Hij had nu eenmaal een fijne neus voor criminaliteit en oplichters. Afgelopen middag had hij de zaak nog eens doorgenomen met Claudia en Julian. Gedurende twee weken hadden zij de juwelier dagelijks bezocht en zijn handel en wandel goed in de gaten gehouden. Maar ook dit team had geen bijzonderheden te melden gehad. André had er steeds op gestaan de zaak niet af te sluiten, maar sinds vandaag twijfelde hij. Het afsluiten van de Merkelbach-zaak bracht namelijk ook nieuwe mogelijkheden met zich mee. Wat zou Stefan Merkelbach bijvoorbeeld gaan doen met het uitgekeerde verzekeringsgeld? André piekerde ook over de situatie van Merkelbach met zijn ex-vrouw, die momenteel voor een lange vakantie in Argentinië zat. Dat was ook al zo vreemd. Ze had er geen familie of vrienden. Waarom was de ex van Stefan niet gewoon naar Spanje gegaan, of naar Portugal? Waarom per se naar Argentinië? Een land dat er bekend om stond rijke criminelen warm te onthalen. Hoeveel welgestelde oorlogsmisdadigers uit de Tweede Wereldoorlog hadden ze destijds niet een veilige thuishaven geboden? Met geld was immers alles te koop. Zou Tessa weten dat de ex van Stefan in Argentinië op vakantie was? Als hij de zaak-Merkelbach nu zou afsluiten, betekende dat misschien een nieuwe kans om Stefan alsnog in de kraag te vatten. Hij zou de man daarna nog onverminderd in de gaten laten houden. Op het gezicht van André verscheen een triomfantelijke grijns. Scenario's verschenen in zijn gedachten. Hij zou deze charlatan even zijn gang laten gaan met het uitgekeerde kapitaal van de verzekering. Eén stap in de verkeerde richting, en Merkelbach was erbij. En als Merkelbach bij nader inzien toch onschuldig bleek te zijn, zou er niets aan de hand zijn. Dan had hij, André Bontekoe, zich alleen maar schromelijk vergist. André likte voldaan langs zijn lippen. Ja, de optie om de zaak-Merkelbach af te sluiten was in zijn ogen ineens aannemelijk.

Hij greep naar zijn mobiele telefoon en drukte Tessa's nummer in.

'Ha, die Tessa. Hoe gaat het met je? Ben je na je eerste vrije dag al een beetje gevorderd in je privéaangelegenheid? Heb je mijn hulp soms nodig?'

Hij glimlachte verrast toen hij hoorde dat ze het fijn zou vinden als hij haar even kwam opzoeken. En of hij van groentesoep en van worstenbrood hield? Dat liet hij zich geen tweede keer vragen. Een halfuurtje later stond hij voor haar deur. Hij belde aan. In zijn rechterhand droeg hij een fles rode wijn van een goed wijnjaar. Hij hoopte dat ze ook een liefhebber was.

'Ja, ik ben wel een liefhebber, maar geen kenner,' zei Tessa toen ze de fles van hem aannam en het etiket bekeek. Ze glimlachte daarna naar hem.

André zag donkere kringen van vermoeidheid onder haar ogen. Hij keek daarna zijn ogen uit in haar gezellige appartement. Ze had alles goed voor elkaar.

Tijdens de soep vertelde Tessa hem dat het zich liet aanzien dat de situatie met de man van haar vriendin snel opgelost kon worden.

'Er is dus geen sprake van een strafbaar feit?' vroeg André, terwijl hij niet eens wist waar het inhoudelijk over ging.

'Het slachtoffer... Ik bedoel: de persoon die gekwetst is, wil geen aangifte doen.' Tessa nam opnieuw een hap van haar soep.

'Wat vind je daar nu zelf van, Tessa?'

Tessa haalde een ogenblik haar schouders op. 'Dat is de reden waarom ik je graag even wil spreken, André. Jij kunt hier objectief naar kijken. Ik ben persoonlijk te betrokken. Dat zul je begrijpen. Het gaat om de man van mijn beste vriendin. Hij... hij heeft zich op een bepaalde manier misdragen. Een meisje lastiggevallen. Meer dan eens zelfs. Het meisje wil op dit moment geen aangifte doen. Ze verwacht wel van mij dat ik de man van mijn vriendin zo snel mogelijk op zijn slechte gedrag aanspreek. Uiteraard moet hij ermee stoppen haar lastig te vallen.'

André schoof de lege soepkop van zich af. Hij wreef met een servet langs zijn mond. 'Tja, dat is aannemelijk. Denk je dat de man van je vriendin zich iets door jou laat gezeggen? Waarschijnlijk zal hij alle aantijgingen meteen ontkennen. Waar wonen je vriendin en haar man eigenlijk?'

'In Almkerk, niet zo ver van 'De wijde blik', waar mijn ouders wonen. Tijdens mijn vrije dagen zoek ik hen altijd op. Ze hebben drie lieve kindertjes.'

'Ik herinner me dat er in die omgeving nog niet zo lang geleden een meisje is aangerand. Hebben ze die dader al opgepakt? Misschien heeft de man van je vriendin daar ook iets mee te maken? Heb je aan die mogelijkheid ook gedacht, Tessa?'

Tessa liet de lepel van schrik in haar soepkop vallen. Een paar druppels soep spatten tegen haar bloes en op het tafelkleed. 'Nou... nee... dat geloof ik niet. Zo is Ben niet.'

'Waarom schrik je zo van mijn vraag?'

'Ik moet er niet aan denken wat voor leed het voor mijn vriendin en haar kinderen met zich mee zou brengen als... als... als Ben dit ook op zijn geweten heeft.' Tessa herinnerde zich het krantenbericht weer alsof ze het een uur geleden nog had gelezen.

André nam een mobiele telefoon uit zijn broekzak. 'Ik informeer wel even bij het desbetreffende korps naar de stand van zaken,' zei hij.

Het gesprek dat volgde, was kort. André duwde vervolgens zijn telefoon weer weg. 'Precies wat ik dacht. Die aanrandingzaak is nog niet opgehelderd. Het slachtoffer kon destijds geen duidelijk signalement van de dader geven. Hij had donkere kleding aan; meer details waren er niet. Tja, dan kun je als politie ook niet veel doen.'

Tessa haalde opgelucht adem en schudde haar hoofd. 'Nee, dit heeft Ben niet gedaan. Ik ken hem, tot zoiets is hij niet in staat. Misschien wel wat plagerijtjes, waarbij hij in dit geval duidelijk een grens heeft overschreden. Maar erger... Nee, ik geloof er niets van.' Ze schoof haar stoel naar achter en liep naar de keuken. Ze voelde een vreemde onrust vanbinnen. Waarom verdedigde ze Ben eigenlijk? Dat hij Lindsay al een poosje lastigviel, was absoluut een grens te ver. Hij was veel te ver gegaan. Hij verdiende niet dat ze hem verdedigde.

'Hoe ga je dit verder aanpakken?' vroeg André toen ze met een schaal kwam binnenlopen.

Tessa serveerde de warme worstenbroodjes. 'Ik was van plan morgen na werktijd Ben aan te spreken op zijn intimiderende gedrag.'

André nam een hap van zijn warme broodje en knikte goedkeurend. 'Mm, lekker. Nou, ik ben benieuwd naar zijn reactie. Geef je al deze informatie ook door aan je vriendin?'

Tessa dacht na. Ze durfde nauwelijks aan Hannekes reactie te denken. 'Nee, ik vind de hele situatie erg pijnlijk voor mijn vriendin. Hanneke was al behoorlijk overstuur. Daarom laat ik Ben daar liever zelf voor opdraaien. Hij moet het haar maar vertellen. Wie zijn billen brandt, moet op de blaren zitten, is mijn bescheiden mening. Hopelijk loopt alles met een sisser af, en kan Hanneke hem deze misstap vergeven.'

'Dan wens ik je succes, Tessa. En sterkte ook voor je vriendin. Laat me in ieder geval weten hoe het afloopt. Ik wil je trouwens ook nog iets vertellen over de Merkelbach-zaak.'

Tessa keek hem met gefronste wenkbrauwen aan. Ze zaten tegenover elkaar alsof ze een briefing doornamen op het bureau. 'Heb je de dader opgepakt?'

'Nog niet. Ik ben nog geen steek verder gekomen met die roofoverval. Zoals het er nu naar uitziet, sluit ik het politieonderzoek aan het einde van deze week af.'

'Daar zal Stefan blij mee zijn, André.' Haar ogen lichtten blij op. 'Dan kan de verzekeringsmaatschappij zijn geleden schade eindelijk uitbetalen.'

'Dat geloof ik graag,' antwoordde André. Maar zijn woorden hadden een veel diepere lading dan Tessa kon vermoeden. 'Weet je dat zijn ex-vrouw momenteel al vijf weken op vakantie is in Argentinië?'

'Nee, dat weet ik niet. Ik geloof niet dat Stefan veel contact heeft met haar.'

'Daar ben ik niet zo zeker van,' antwoordde André aarzelend. 'Zijn ex houdt van zon, is me verteld. En in Argentinië schijnt op dit moment de zon.'

'Nou, daarvoor hoeft ze niet zo ver te reizen. In Spanje schijnt de zon ook.'

'Ja, datzelfde had ik nu ook gedacht. Wat dat betreft, zitten we op dezelfde golflengte. Ik vind Argentinië als vakantiebestemming een beetje opmerkelijk.' André nam een tweede worstenbroodje van de schaal. 'Waarom zo ver reizen voor de zon, als je er dichterbij ook van kunt genieten? Daarbij is het toch ook veel goedkoper?'

Tessa was even uit haar evenwicht gebracht door de opmerking van André. Het blijde nieuws over de sluiting van het politieonderzoek werd overschaduwd door deze laatste opmerking. Stefan sprak nauwelijks over zijn ex-vrouw wanneer ze samen waren. André was er blijkbaar niet helemaal gerust op. Dat proefde ze in de manier waarop hij zijn woorden uitsprak. Ze liet het maar zo. Het werd tijd dat de politie deze zaak met rust liet. Dan kon Stefan zijn normale leven weer oppakken en verder gaan. Misschien wilde hij dat wel samen met haar doen.

De volgende dag besloot Tessa naar Almkerk te rijden om Nicolien te verrassen met een bezoekje. Nicolien was overdag meestal thuis. Ze werkte drie avonden per week bij de thuiszorg, en dan bleef Jacco thuis bij de jongens.

De opmerking van André over de aanrandingzaak in Almkerk bleef maar door het hoofd van Tessa spoken. Ze was er afgelopen nacht zelfs een paar keer wakker van geworden. Zou Ben hier ook bij betrokken zijn, vroeg ze zich herhaaldelijk af. Omdat het slachtoffer van het vergrijp bij Nicolien en Jacco in de straat woonde, wilde Tessa het verhaal graag nog een keer uit de mond van Nicolien horen. Ze wilde haar twijfel over Bens wangedrag kwijt. Het zat haar niet lekker. Ze durfde er ook geen scenario op los te laten, omdat het Hanneke en de kindertjes zou raken. Ze had zo met Hanneke te doen. Maar die aanranding was nog niet opgelost. En zolang dat niet het geval was, bleef ze erover piekeren.

Even voor tienen kocht ze bij de plaatselijke bakker lekkere gebakjes voor bij de koffie, die ze een kwartiertje later onder Nicoliens neus duwde.

'Tessa, meid, wat een verrassing. Kom snel binnen. Heb je een vrije dag?'

Even later geurde de koffielucht door de woonkeuken, waar ze samen aan de tafel gingen zitten. Nicolien vertelde honderduit over Job en Frankie en hun vorderingen op school. Ze besloot met: 'Nu even genoeg over de jongens. Vertel me eens, hoe gaat het met jou? 's Zondagsmiddags, bij het koffiedrinken bij pap en mam, lukt dat niet altijd. Je vond het erg vervelend, hè, dat Bert de Jager zondag na de dienst door je vader was uitgenodigd. Zijn bedoeling was glashelder, vond je ook niet? Wat vind je van Bertje?' Ze grijnsde er veelzeggend bij.

Tessa trok een gezicht en legde haar hand demonstratief op haar voorhoofd. 'Foei, pap is, wat dat betreft, zo doorzichtig. Hij kan en wil het maar niet accepteren dat ik nog steeds vrijgezel ben, en de man van mijn dromen graag zelf wil uitkiezen. Ik wil heel eerlijk tegen je zijn, Nicolien. Bert is niet bepaald het type waar ik op val.'

Nicolien schaterde het uit.

Tessa viel haar bij.

Toen ze bedaard waren, keek Nicolien met een ernstige blik in haar ogen naar Tessa. 'We lachen er nu wel om. Maar, ben je nog steeds alleen, Tess? Is er nog geen speciale vriend aan de horizon verschenen?'

Tessa aarzelde een ogenblik. Met Nicolien had ze van het begin af aan een leuke band gehad. Ze roddelde nooit, en als het erop aankwam, kon ze zwijgen als het graf.

'Er is wel iemand,' begon ze met een zachte fluisterstem. 'Maar daar kan ik helaas nog niks over zeggen, Nicolien. Misschien na deze week, wanneer een belangrijk politieonderzoek wordt afgesloten.'

'Arme jij. Ik hoop zo dat het wat wordt. Kun je soms al iets over hem vertellen?'

Er gleed een glimlach om Tessa's mond. Alle bange vermoedens over Ben waren ineens ver weg. Als ze aan Stefan dacht, verdwenen al haar zorgen als sneeuw voor de zon. 'Hij heet Stefan en hij is knap. Ik mag hem erg graag. En hij... ja, hij mij ook. Tja, wat kan ik nog meer zeggen?'

'Het is genoeg, Tessa. Ik hoop zo dat je gelukkig wordt. Je straalt er zelfs van.'

'Ja, zeg dat wel. Het alleen-zijn staat me al een tijdje tegen. Hoe ouder ik word, des te moeilijker vind ik het. Als ik kijk naar Hanneke en haar drie kinderen en naar jullie fijne gezinnetje, ben ik weleens jaloers. Dat mag je best weten.'

'Het komt allemaal goed, Tessa.' Nicolien sprak de woorden vol vertrouwen uit. 'Als Stefan en jij elkaar erg graag mogen, heb ik goede hoop. Zodra de mogelijkheid zich voordoet, moet je hem maar eens aan ons voorstellen. Je hebt me nu wel nieuwsgierig gemaakt, hoor.'

Nicolien schonk een tweede kop koffie in.

Een tweede gebakje sloeg Tessa af. 'Bewaar die maar voor Jacco en de jongens,' zei ze.

Nicolien schoof de gebaksdoos in de koelkast.

Tessa roerde intussen melk door haar koffie en zocht naar woorden om op de plaatselijke aanrandingzaak over te gaan. Daar was ze speciaal voor gekomen.

Nicolien was meteen een en al aandacht toen ze erover begon.

'Het gaat om een jong, blond meisje. Ze woont vier huizen verderop in de straat. Karin Paans heet ze. Ze was met haar vriendinnen naar het zwembad geweest. Op de terugweg naar huis, het laatste stukje dat ze alleen moest fietsen, heeft een man met een donkere bivakmuts op het hoofd haar overmeesterd en in de bosjes geduwd. Het is hem gelukt haar gedeeltelijk te ontkleden, maar Karin riep en gilde zo hard dat hij haar moest loslaten. Op het pad naast de bosjes fietsen namelijk regelmatig mensen voorbij. Je begrijpt dat de dader niet gepakt wilde worden. En op een dergelijk luidkeels verzet had hij blijkbaar niet gerekend. Daarom moest hij haar loslaten en er snel vandoor gaan. Tja, het is afgrijselijk dat dergelijke dingen hier in dit plaatsje gebeuren. Het had veel erger kunnen aflopen, dat wel. Maar de dader is nog steeds niet opgepakt. Dat zo'n kerel nu nog vrij rondloopt is niet te verteren. Karin durft 's avonds nergens meer alleen naartoe. Het meisje heeft de schrik van haar leven gekregen.'

Tessa staarde langs Nicoliens gezicht naar het raam. 'Ze was met haar vriendinnen naar het zwembad geweest...' De woorden van Nicolien bleven als alarmbellen in haar hoofd zitten. Het zwembad was ook een belangrijk aanknopingspunt als het ging over het wangedrag van Ben. Tessa dacht aan Lindsay, Esther, Karina en Judy. Ze zuchtte diep en zorgelijk. Nee, hier kon Ben niet bij betrokken zijn. Het mocht niet. Of toch?

'Wat ben je ineens afwezig,' zei Nicolien.

'Ach, soms is het moeilijk dergelijke zaken op te lossen. Hoe graag we dat als politieteam ook willen. Het signalement van de dader is erg vaag,' antwoordde Tessa, terwijl haar wangen kleurden van de spanning die met de minuut opliep. Ze moest plotseling aan Hanneke denken, aan haar reactie als Ben voor een dergelijk vergrijp opgepakt zou worden. Het verdriet zou niet te overzien zijn. *God, laat het alstublieft niet waar zijn. Niet Ben.* Het korte gebed kwam uit het niets in haar op. Hoewel alle sporen naar Ben leken te wijzen, wilde ze toch hoop blijven houden dat Ben er uiteindelijk helemaal niets mee te maken had. Ze zag enorm op tegen een ontmoeting met hem en de feiten waarmee ze hem wilde confronteren.

Om iets voor vijven die middag parkeerde Tessa haar auto aan de zijkant van het bedrijf waar Ben in dienst was. Ze hoefde niet lang te wachten. Ze zag hem via de hoofdingang naar het parkeerterrein lopen. Haar hart bonsde. Ze zocht naar woorden om een gesprek te openen. Ze claxonneerde twee keer toen Ben in zijn auto wilde stappen. Hij keek op, zocht in het rond en zag haar uiteindelijk zwaaien. Hij sloeg het portier van zijn auto dicht en kwam meteen op haar toe lopen. 'Stap even in, Ben. Ik moet met je praten.'

Hij schoof naast haar. 'Jij hier? Dat had ik niet verwacht. Er is toch niets met Hanneke aan de hand?'

Tessa voelde het bonzen van haar hart afnemen. Ze keek in het ontwapenende gezicht van Ben. Zijn vriendelijke ogen en lachende mond stelden haar gerust. Nee, Ben was vast niet betrokken bij dergelijke ernstige vergrijpen. Ze zag het aan de manier waarop hij keek: open en eerlijk. Hij was alleen iets te ver gegaan met Lindsay. Een grens te ver.

'Het gaat wel om Hanneke, Ben,' antwoordde Tessa op zachte fluistertoon. 'Hanneke is afgelopen week namelijk opgebeld door ene Lindsay Visser. Het meisje beklaagde zich over jouw gedrag. Je zou allerlei seksueel getinte opmerkingen hebben gemaakt.' Ze keek naar het gezicht van Ben, dat onmiddellijk versomberde.

'Lindsay Visser? De trut,' siste hij. 'Hoe durft ze?'

Tessa schrok van zijn heftige reactie. De woorden van André flitsten door haar hoofd: 'Waarschijnlijk zal hij alle aantijgingen meteen ontkennen.' Ze was op haar hoede en observeerde hem.

Ben begon opeens hard te lachen. Hij schaterde het uit.

Tessa liet hem zijn gang gaan. Het bloed was intussen uit haar gezicht weggetrokken. Er was iets in zijn houding dat ze niet herkende. De getergde blik in zijn ogen en het lachende gezicht bezorgden haar kippenvel. Het was zo dubbel: ogen die getergd keken vanuit een lachend gezicht. Hoe kreeg hij het voor elkaar?

'Zeg, je gelooft die onzin toch niet?' zei hij verontwaardigd, nadat de laatste lach was weggestorven op zijn gezicht.

'Hanneke is er kapot van, Ben.'

'Ja, ik snap eigenlijk niet waarom Hanneke dergelijke onzintelefoontjes gelooft. Ik ben haar man. Ze moet mij maar vertrouwen. Waarom heeft ze zich eigenlijk bij jou beklaagd, en niet bij mij?'

'Hanneke is bang. Is dat terecht, Ben?'

Ben zuchtte diep. Hij schudde zijn hoofd. 'Ik ben me van geen kwaad bewust. Ik werk hard voor mijn gezin, breng elke maand een prima salaris thuis, en nu zeg jij dat Hanneke bang is.'

'Hanneke is bang dat de beschuldigingen van Lindsay de waarheid zijn. Ze wist er geen raad mee, en daarom heeft ze mij in vertrouwen genomen. En even voor de duidelijkheid, Ben. Dit was niet het eerste telefoontje.'

'Geloof jij nu werkelijk dat ik tot iets dergelijks in staat ben, Tessa?' Hij keek haar aan.

Tessa huiverde toen ze knikte.

'Ik heb intussen ook al een gesprek gehad met Lindsay. Dat meisje sprak de waarheid, Ben. Geef het nu maar toe.'

Ben sloeg met zijn vlakke hand op het dashboard. 'Ik heb er een hekel aan als je in mijn privéleven politieagentje gaat spelen. Ik geef niets toe. Helemaal niets. Ik heb niets gedaan waarvoor ik me hoef te schamen.' Zijn wangen werden rood van opwinding.

'In ieder geval ben ik hiernaartoe gekomen om je te waarschuwen, Ben. Een gewaarschuwd mens telt voor twee, zegt het spreekwoord. Ik wil dat je Lindsay Visser vanaf nu met rust laat en haar fatsoenlijk behandelt. Eén verkeerd woord of één verkeerde handeling, en er wordt onmiddellijk aangifte gedaan bij de politie.'

Ben roffelde met zijn vingers op het dashboard van haar auto.

Tessa zag de gefronste wenkbrauwen, de rimpels in zijn voorhoofd. Hij overdacht haar woorden, merkte ze aan alles. Het verbaasde haar enigszins dat hij niet meteen boos uit haar auto was gestapt en was weggelopen.

'Oké,' gaf Ben toe. 'Misschien ben ik een heel klein beetje te ver gegaan met Lindsay. Het was meer een plagerijtje. Dat begrijp je vast wel. Lindsay is een beeldschoon blond meisje, en ze lokt het zelf geregeld uit, hoor. Tja, ik ben nu eenmaal een gezonde vent, Tessa. Dergelijke meiden laten me niet onberoerd.'

'Je hebt Hanneke toch. En denk ook eens aan je kinderen.'

'Ik maak het vandaag nog in orde met Hanneke. Dat beloof ik. En Lindsay laat ik voortaan links liggen. Sorry voor alle trammelant. Ik beloof beterschap.' Ben stak zijn hand uit in een vriendschappelijk gebaar uit.

Tessa nam hem aan. 'Afgesproken,' zei ze. 'Ik geloof je op je woord als jij zegt dat je Hanneke alles zult opbiechten en Lindsay voortaan met rust laat'

Ben stapte uit en holde op een drafje naar zijn auto.

Tessa reed vervolgens met een hoofd vol gedachten naar 'De wijde blik', waar moeder op haar rekende met de warme maaltijd. Uiteindelijk had Ben dan toch toegegeven dat hij Lindsay had lastiggevallen met wat plagerijtjes. Toch zat het haar niet lekker. Haar bange vermoeden over de aanrandingszaak van Karin Paans stond nog vers in haar geheugen. Voordat ze uit haar auto stapte om naar binnen te gaan, belde ze met haar mobiele telefoon naar Lindsay. 'Ik heb met Ben gesproken, Lindsay. Hij zal je niet meer lastigvallen. Dat heeft hij me toegezegd.'

Lindsay reageerde opgelucht en bedankte Tessa hartelijk voor haar bemoeienis.

'Maar als Ben zijn woord niet houdt, laat het mij dan meteen weten. Je hebt nu ook mijn mobiele nummer,' zei Tessa nog voordat ze het gesprek beëindigde.

Buiten stond Fikkie opgewonden te blaffen. Hij vond dat ze te lang in haar auto bleef zitten en eiste nu haar aandacht op.

Tessa aaide hem en kriebelde achter zijn oor.

Vader stond haar bij de achterdeur op te wachten. 'Je bent laat. We wachten op je, kind. Moeder en ik zitten al aan tafel,' mopperde hij goedig.

Een blik op haar horloge liet zien dat ze inderdaad veel te laat was. In het dagelijkse leven van haar ouders gebeurde alles nu eenmaal op uur en tijd. Ze mompelde een verontschuldiging en schoof meteen aan de eettafel. Daar vouwde ze haar handen en bad ze om Gods zegen.

Tessa was diezelfde avond nog maar net in haar appartement gearriveerd, toen ze een telefoontje van Stefan kreeg.

'Kun je vanavond nog een uurtje tijd voor me vrijmaken?' vroeg hij.

De klok wees halftien. Ondanks haar verlangen Stefan te

zien aarzelde Tessa. Morgen moest ze zich om zes uur al op het bureau melden. Ze wilde vanavond niet al te laat naar bed.

'Goed, maar ik wil het niet te laat maken, Stefan.'

'Kom even naar de juwelierszaak. Ik wil je iets laten zien.'

Tessa's nieuwsgierigheid was meteen gewekt. Toen ze het centrum in reed en van een afstand de juwelierszaak naderde, zag ze het grote bord met 'Te koop' meteen staan. Ze hield haar adem een moment in. Wat had dit te betekenen?

'Wil je de zaak verkopen?' vroeg ze. Haar gezicht was een en al verbazing.

Stefan kuste haar wang. 'Zoals je ziet,' antwoordde hij. 'Ik heb er lang over nagedacht. Het is de beste oplossing. Ik kan niet langer leven met de angst voor een nieuwe overval.'

'O, ik wist niet dat het je dwarszat.' Tessa beet vertwijfeld op haar lip. Ze besefte dat ze Stefan niet kon inlichten over het feit dat André het onderzoek over een week wilde afsluiten. Stefan zou erg blij zijn met dit bericht; dat wist ze zeker. Maar werk en privé moesten, hoe dan ook, gescheiden blijven. Als André er lucht van kreeg dat ze haar mond voorbij had gepraat, zou hij haar nooit meer vertrouwen.

'Ik sta ermee op en ik ga ermee naar bed,' klaagde Stefan.

'Jammer. Ik vind je een goede juwelier. Weet je wel zeker dat je dit wilt? Je kunt ook een cursus zelfverdediging gaan volgen om van die angst af te komen. Heus, je bent niet de enige ondernemer die iets dergelijks heeft meegemaakt. Vind je het niet wat rigoureus je winkel al zo snel te verkopen?'

Tessa keek in het zelfverzekerde gezicht van Stefan.

Hij schudde vastberaden zijn hoofd. 'Nee, liefje. Ik heb hier al een tijdje goed over nagedacht. Zodra de winkel en mijn woning verkocht zijn, begin ik in een andere plaats met een andere zaak. Mode en kleding hebben ook mijn belangstelling. Ik zoek iets in die richting.'

'Daarvoor hoef je dit pand en je woning toch niet te verkopen? Dit pand staat op een goede locatie, Stefan. Midden in het stadscentrum. Klandizie genoeg, hoor. Wat wil je nu nog meer? Maak er gewoon een modezaak van.'

'Je bent een echt zakenvrouwtje, Tessa. Dat is hoopgevend voor de toekomst.' Stefan sloeg een arm om haar schouder en drukte zijn wang tegen die van haar. 'Maar mijn beweegredenen omvatten meer, meisje. Je weet dat ik deze winkel en ook mijn woning jaren lang heb gedeeld met Heleen. We zijn nu al een poosje uit elkaar. Voor mij is het op dit moment belangrijk in een andere plaats een nieuwe woning te zoeken en daar een modewinkel te openen, zonder dagelijks te worden geconfronteerd met de herinnering aan het leven met Heleen.'

Tessa liet zijn woorden tot zich doordringen. Dat ze daar niet aan had gedacht. Ze vond zijn argument heel redelijk. Stefan wilde blijkbaar een dikke streep onder zijn verleden zetten en opnieuw beginnen.

'Ik heb begrepen dat Heleen langdurig op vakantie is in Argentinië.'

Stefan ontkende het niet. 'Dat wilde ze zelf. Heleen hoeft aan mij geen enkele verantwoording meer af te leggen, en daarmee is de kous af, Tessa. Laten we het nu over mijn aanstaande verhuizing hebben.'

'Tja... Als ik je soms ergens mee kan helpen, doe ik dat graag.' Ze keek in zijn ogen die dicht bij haar waren. Daarin las ze bewondering en liefde. Haar hart klopte snel.

Stefan drukte zijn lippen behoedzaam op haar mond.

Tessa sloeg haar armen om hem heen en beantwoordde zijn kus.

'Lieve Tessa. Zonder jou wil ik niet verder,' fluisterde Stefan even later in haar oor. 'Denk je dat er een toekomst is voor ons samen?'

Tessa voelde tranen prikken achter haar oogleden. Ze slikte krampachtig en knikte, niet in staat een woord uit te brengen. Eindelijk gebeurde dan waar ze al lange tijd reikhalzend naar uitkeek. Ze had de man van haar dromen gevonden. Ze wilde hem graag beter leren kennen. Veel beter dan ze al deed.

'Ik hoop het,' fluisterde ze.

Ze voelde zijn lippen opnieuw op haar mond en was eindeloos gelukkig.

Het was ver na twaalf uur toen Tessa opnieuw de deur van haar appartement in Breda opende. Ze neuriede en voelde zich volmaakt gelukkig. Ze had samen met Stefan nog wat toekomstplannen doorgenomen. Zijn enthousiasme over een nieuwe woning en een winkelpand in een andere plaats was op haar overgeslagen. Ze zag in gedachten haar nieuwe toekomst al voor zich. Stefan en zij, samen in een nieuwe winkel. Daar kwam niets meer tussen. Hij was gek op haar, merkte ze aan alles. Ze had lang op een man moeten wachten, maar eindelijk was het ervan gekomen. Ze hoefde niet langer als een alleenstaande vrouw door het leven. Haar levensgezel had zich gemeld in de persoon van Stefan Merkelbach. Het geluk lachte haar toe.

Toen ze een halfuur later in bed wilde stappen, ging haar mobiele telefoon. Stefan, was haar eerste gedachte. Stefan belde nog even om te zeggen dat hij haar nu al miste... Wat was het toch fijn verliefd te zijn...

Op het schermpje van haar telefoon las ze echter Hannekes naam. Een vreemde onrust maakte zich meteen van haar meester. Hanneke belde nooit zo laat. Misschien was er iets met een van de kinderen. Of met Ben.

O, nee. Niet Ben. God, laat er alstublieft niets met Ben zijn gebeurd, bad ze alvorens ze haar naam noemde.

'Tessa,' hoorde ze Hannekes stem aan de andere kant huilen. 'Tessa, je moet komen. De politie heeft Ben opgepakt.'

'Hanneke... Waarom... Wat is er gebeurd?' Het mobiele telefoontje trilde in Tessa's hand.

'Ben heeft... Het schijnt dat hij zich heeft vergrepen aan een meisje. Ik snap het niet, Tessa. Ben kan zoiets niet gedaan hebben.' Hanneke gilde nu. 'De politie wil het niet geloven. Hij zit vast op het bureau. Ze willen hem voorlopig niet laten gaan.'

'Ik kom naar je toe, Hanneke. Over een halfuurtje ben ik bij je,' beloofde Tessa met een zenuwachtige trilling in haar stem. Ze verbrak de verbinding en trok haar kleren snel weer aan. Hanneke had haar nodig.

8

Het gezicht en de ogen van Hanneke zagen rood van het huilen.

Bij binnenkomst omhelsde Tessa haar.

'Ik snap het niet,' snikte Hanneke almaar. 'Jij gelooft het toch ook niet, hè? Ben kan het niet gedaan hebben. Ze hebben de verkeerde opgepakt.'

Tessa probeerde Hanneke te kalmeren. 'Vertel me nu eens precies wat er gebeurd is. Wie heeft jou ingelicht?'

Ze gingen aan tafel zitten.

Hanneke steunde met haar gezicht op haar handen. In haar rechterhand hield ze een grote zakdoek vast, waarmee ze regelmatig langs haar ogen wreef. 'Een mevrouw van het politiebureau belde me om twaalf uur vannacht op. Ik lag allang op bed. Ben was nog niet thuis. Er was een competitiewedstrijd van het waterpoloteam. Dat was de reden van zijn late thuiskomst, dacht ik. Maar die mevrouw vertelde me door de telefoon dat Ben aangehouden was door de politie. Ze verdenken hem van aanranding. Wat een onzin. Dat kan Ben niet zijn geweest. Het kan niet.'

Tessa ging naast Hanneke zitten en hoorde haar verdrietige relaas aan. Datgene waaraan ze niet had durven denken, waarvoor ze zo bang was geweest, was uiteindelijk toch gebeurd. Een nachtmerrie, dat was het. Ze wreef met een hand over haar gezicht en kreunde. Ze voelde zich een moment radeloos. Wat nu gebeurd was, was haar schuld. Ze had het niet kunnen voorkomen. Het gesprek met Ben had helemaal niets uitgehaald. Ze had een verkeerde inschatting gemaakt. Ze had gedacht en gehoopt dat het allemaal zo'n vaart niet zou lopen. Daarnaast had ze Ben een ernstige waarschuwing gegeven. Het had hem er echter niet van weerhouden een meisje lastig te vallen. Ze graaide in haar zak naar haar mobiele telefoon en belde het nummer van het politiedistrict dat verantwoordelijk was voor Bens arrestatie. Erg veel informatie kreeg ze niet. Alleen de mededeling dat Ben voorlopig zou worden vastgehouden. Het slachtoffer had intussen aangifte gedaan. Vervolging hing hem boven het hoofd. Het betekende vrijwel zeker dat hij in de nabije toekomst moest voorkomen bij de officier van justitie. Hij zou niet vrijuit gaan. Een strafblad was onvermijdelijk. Tessa was op de hoogte van alle protocollen, maar niet erg tevreden met het telefoontje en de gegevens die ze kreeg. Ze had gehoopt op meer details, zoals de naam van het slachtoffer. Had hij Lindsay Visser alsnog lastiggevallen? Of was het een ander meisje geweest? Tessa beet vertwijfeld op haar lip. Op dit moment was het belangrijk dat ze Hanneke bijstond in haar verdriet. Hanneke wilde er haar ouders op dit nachtelijke uur niet mee lastigvallen. Ze had alleen Tessa, omdat ze haar al eerder in vertrouwen had genomen. Tessa besloot in alle eerlijkheid open kaart te spelen en vertelde van haar gesprek met Lindsay en de andere meisjes. En ook van haar gesprek met Ben, afgelopen middag na werktijd.

'Ik vrees dat Ben niet zo onschuldig is als wij denken, Hanneke. Het spijt me dat ik je dit moet vertellen,' reageerde ze verdrietig.

'Wat zeg je? En dat vertel je me nu pas?' Hanneke keek haar verontwaardigd aan. 'Waarom heb je me vanmiddag na je gesprek met Ben niet op de hoogte gebracht? Ik dacht dat we vriendinnen waren. Ik vertrouwde je, Tess. Ik vind het achterbaks van je die informatie achter te houden. Je had me ook van je gesprek met Lindsay moeten vertellen. Ik had het willen weten.'

Tessa beet op haar lip. Had ze er verkeerd aan gedaan? Had ze Hanneke zelf moeten inlichten over haar bevindingen in de afgelopen twee dagen? Ze had Hanneke willen ontzien, maar dat werd haar duidelijk niet in dank afgenomen. 'Ben was van plan er met jou over te praten en het je allemaal uit te leggen. Dat heeft hij gezegd. En dat leek mij ook het beste,' probeerde ze zich te verontschuldigen.

Maar Hanneke was het er niet mee eens. 'Ik had het graag uit jouw mond willen horen. Ik heb je zondagmiddag niet voor niets in vertrouwen genomen. Ik ben op dit moment erg teleurgesteld. Niet alleen in Ben, maar ook in jou. Ga alsjeblieft naar huis, Tessa. Ik wil nu alleen zijn en een poosje nadenken.'

Hanneke droogde haar tranen en keek met een vastberaden blik naar Tessa.

'Hanneke, begrijp het nu niet verkeerd,' drong Tessa er bij haar op aan. 'Ik had je dit verdriet zo graag willen besparen.'

'Dat is je niet gelukt, Tessa. Wie weet wat Ben nog meer op zijn kerfstok heeft. Ik durf er niet eens aan te denken.'

Het gesprek met Nicolien kwam weer bij Tessa in gedachten. De naam Karin Paans was daarbij gevallen. André had de aanranding van dat meisje een dag eerder ook al ter sprake gebracht, en het delict een moment in verband gebracht met Ben. Maar dat was slechts een vermoeden. De bewijzen ontbraken.

'Goed, ik ga nu naar huis. Maar morgen neem ik weer contact op.'

Tessa voelde zich geradbraakt toen ze in haar auto stapte en naar Breda reed. Wat ellendig, dat ze haar liefste vriendin in deze omstandigheden moest achterlaten. Ze foeterde op zichzelf dat ze tekortgeschoten was ten opzichte van Hanneke en de kinderen. Ze voelde zich ook schuldig ten opzichte van het meisje dat vanavond door Ben was aangerand. Was het Lindsay Visser geweest, vroeg ze zich opnieuw af. Die had immers kantinedienst gehad. Of misschien was het een van de andere meisjes. Esther Kraal, Karina Slot, Judy Hamers?

Tessa parkeerde haar auto en ging niet zoals gewoonlijk naar de vierde etage van het appartementencomplex waar ze woonde. Ze stak het parkeerterrein over en belde even later aan bij de voordeur van haar chef. Ze had geen moment geaarzeld André over de laatste ontwikkelingen in te lichten. Tijd speelde geen rol. Ze moest haar verhaal kwijt. Na drie keer bellen zag ze een lamp in de gang aangaan en een slaperig hoofd in de deuropening verschijnen.

'Tessa, jij? Had je geen beter tijdstip kunnen kiezen? Het is halfvier in de nacht... Nou, kom maar binnen.' André trok de deur wijd open. 'Het spijt me dat ik je op dit moment niet kan ontvangen in een driedelig kostuum of mijn politie-uniform. Ik hoop dat je genoegen wilt nemen met deze eenvoudige ochtendjas.'

Tessa had geen oog voor dergelijke details. Ze liep voor hem langs naar zijn woonkamer. 'De man van Hanneke is door de politie opgepakt, André. Mijn onderzoek en het gesprek met Ben afgelopen middag... Het heeft niets uitgehaald. Hij heeft zich enkele uren geleden vergrepen aan een meisje.' Er schoot een brok in haar keel, waardoor ze de laatste woorden fluisterde.

'Ga zitten,' sommeerde André haar. 'Vertel.'

Tessa vertelde haar kant van het verhaal en kon niet voorkomen dat tranen van machteloosheid rijkelijk vloeiden. Afgelopen avond was ze zo gelukkig geweest met Stefan, en nu voelde ze zich intens verdrietig. Hanneke en de kinderen speelden steeds door haar hoofd. Ze had Hanneke teleurgesteld en niet kunnen voorkomen dat Ben zich nogmaals aan een meisje vergrepen had. 'Ik kan het nauwelijks bevatten, André. Ik heb Ben jaren geleden leren kennen als een leuke vent. Hij droeg Hanneke op handen, was een goede vader voor hun kindertjes en daarnaast ook actief in het kerkenwerk. Van een ziekelijke neiging om andere meisjes lastig te vallen heb ik nooit iets gemerkt. Nooit. Dat paste niet bij Ben. Hanneke was alles voor hem. O, ik heb vreselijk gefaald in deze situatie en de zaak niet goed ingeschat. Ik heb geblunderd,' besloot Tessa haar verhaal.

André overhandigde haar een glaasje water. 'Hier, drink eerst iets,' drong hij er bij haar op aan. 'En val jezelf vooral niet te hard, Tessa. Je bent persoonlijk erg betrokken bij deze mensen. Het betreft hier de man van je beste vriendin. Jaren lang heb je een goede vertrouwensband met hen gehad. Ik begrijp uit je verhaal dat je een uurtje geleden informatie over Bens arrestatie bij het desbetreffende bureau hebt ingewonnen?'

Tessa dronk enkele slokjes en keek vervolgens André weer aan.

'Heb je daarbij ook doorgegeven dat je zelf op onderzoek bent geweest, de afgelopen dagen?' vroeg hij verder.

Tessa schudde ontkennend haar hoofd. 'Dan zullen ze deze zaak meteen in verband brengen met het meisje dat eerder is aangerand,' fluisterde ze ontzet.

'Waarschijnlijk doen ze dat al,' antwoordde André. 'Ik vind beroepshalve wel dat je al jouw informatie meteen moet doorbellen. Het is erg belangrijk voor het verhoor.'

'Het voelt als verraad,' zuchtte Tessa geëmotioneerd. 'Hanneke is al zo vreselijk teleurgesteld. Ik ben zo bang haar vriendschap te verliezen. Zou jij die informatie willen doorgeven, André?'

André fronste zijn wenkbrauwen. Zijn mondhoeken trok hij omlaag. 'Nee, dat is niet de bedoeling, Tessa. Ik heb je leren kennen als een goede politieagente. En ik verwacht van je dat je al je informatie persoonlijk zult doorgeven. Als politieagente moet je boven de partijen staan.'

Tessa dronk nog een slokje water. Haar tanden klapperden tegen het glas. Ze haalde haar mobiele telefoon tevoorschijn. Ze wist dat André gelijk had. Maar het was in deze situatie moeilijk boven de partijen te staan.

'Je hebt gelijk,' gaf ze toe. 'Ik moet het zelf doen.' Ze was blij dat ze naar André was gegaan. Hij moedigde haar aan tijdens een moment van zwakheid. Zelfs in zijn ochtendjas straalde hij gezag uit. Ze kreeg contact met het politiebureau waar Ben werd vastgehouden. Een dienstdoende agent stond haar vriendelijk te woord, noteerde al haar aanvullende informatie en vroeg of ze morgenochtend om negen uur een verklaring wilde komen afleggen voor het proces-verbaal. Tessa bevestigde de afspraak en verbrak de verbinding.

'Ben wordt morgenvroeg opnieuw verhoord,' zei ze, als antwoord op de vragende ogen van André. 'En ik heb mijn plicht gedaan.'

'Ik ben trots op je.'

Maar Tessa was niet trots op zichzelf. Ze stond op en maakte aanstalten om weg te gaan. Haar horloge wees halfvijf. 'Het is de moeite niet meer om naar bed te gaan. Ik moet er om zes uur alweer uit,' merkte ze op. 'Nou ja, van slapen zal niets meer komen. Mijn hoofd zit zo vol.'

'Ik ga om negen uur met je mee naar dat bureau voor je verklaring. Daarna breng ik je naar huis, zodat je nog een paar uurtjes kunt slapen. Je dagdienst pas ik wel aan.'

'Dat is fijn. Bedankt, André.'

'Daar zijn we collega's voor,' zei André glimlachend, en hij liep met haar mee naar de voordeur.

Met een hoofd vol zorgelijke gedachten stak Tessa het parkeerterrein over. Ze liet zich met de lift naar de vierde etage brengen. Zou Hanneke al slapen, vroeg ze zich af. André had haar dan wel een compliment gegeven over het feit dat ze haar plicht had gedaan, maar het voelde niet zo. Als Hanneke wist dat ze een belastende verklaring tegen Ben zou afleggen, hield hun vriendschap vast op te bestaan. Ze had helaas geen andere keus.

André bleef net zo lang voor het raam staan totdat hij het licht in Tessa's appartement aan zag gaan. Daardoor wist hij dat ze veilig binnen was. Het verhaal over Ben Jongsma had hem niet onverschillig gelaten. Hij kende de man niet, maar het was wel de man van Tessa's beste vriendin. Dat Tessa helemaal van haar stuk gebracht was door de dramatische gebeurtenis, kon hij goed begrijpen. Ze had gistermiddag alles in het werk gesteld om Ben te laten inzien dat hij op een verkeerde manier bezig was. Het was uiteindelijk op niets uitgelopen. Ben Jongsma had opnieuw toegeslagen en zich aan een meisje vergrepen. Maar het was voorlopig wel de laatste keer geweest. En als er voldoende bewijs boven tafel kwam, zou hem de aanranding van een tijdje geleden ook nog aangerekend kunnen worden. André draaide zich om en nam het besluit niet meer terug in bed te gaan. Hij was intussen klaarwakker. In de keuken maakte hij een ontbijt klaar, en een kwartier later stapte hij onder de douche. Een halfuur voor diensttijd opende hij zijn kantoordeur op het bureau. Hij had nog genoeg administratief werk liggen dat klaar moest deze week. Daar wilde hij juist aan beginnen, toen een agent die nachtdienst had gehad en met enkele collega's op patrouille was geweest, op zijn kantoordeur klopte.

'Goedemorgen, chef. Ik heb iets te melden over de zaak-Merkelbach, de juwelierszaak waar enkele weken geleden een roofoverval is geweest.'

André was meteen een en al aandacht. 'Ja, ja. Ik weet welke zaak je bedoelt. Wat heb je te melden?'

'De juwelierszaak staat nu officieel te koop, evenals het woonhuis.'

André knikte aarzelend. 'Ach, zo... Tja, dat wist ik nog niet. Ik ga in de loop van de ochtend zelf een kijkje nemen en een praatje maken met de eigenaar. Bedankt voor de informatie.'

De agent verdween.

André nam het dossier-Merkelbach uit een afgesloten kast. Hij maakte een aantekening en nam zich voor na zijn afgesproken bezoek met Tessa aan het andere bureau, langs de juwelierszaak te rijden. Hij wilde het bord 'Te koop' met eigen ogen zien. Hij vroeg zich af waarom Stefan Merkelbach zijn winkelpand en het woonhuis graag wilde verkopen. Als Merkelbach dit na de afronding van het politierapport had gedaan, had hij het hoogst opmerkelijk en verdacht gevonden. Maar nu de zaak nog liep, wist hij niet goed wat hij ervan moest denken. Had Tessa haar mond soms voorbijgepraat? Zij was er immers van op de hoogte dat hij de zaak na deze week wilde afsluiten. Tja, eerst maar eens horen wat Stefan Merkelbach er zelf over kwijt wilde. Misschien had de man wel een aannemelijk excuus. André legde het dossier weer in de kast. Het kwam in zijn gedachten op dat Tessa waarschijnlijk al veel eerder op de hoogte was van zijn plannen om de winkel en het huis te verkopen. Wat jammer, dat Tessa zich door die kerel liet misleiden, dacht André. Tessa was toch een goede, intelligente politievrouw. Hij begreep nog steeds niet waarom ze zich tijdens de lopende zaak persoonlijk met Merkelbach had ingelaten. Ze zag de betrokkenheid van de juwelier bij de roofoverval niet zoals hij die zag. Dat vond hij jammer. Hij zou het fijn vinden met Tessa op dezelfde golflengte te zitten. Zijn gedachten gleden als vanzelf naar Nienke. Die had zich ook laten inpakken door een vent met status en veel geld. Zou Tessa net zo gevoelig zijn voor geld en goed als zijn Nienke? Zou dat het soms zijn? André wreef diep in gedachten met zijn hand over zijn korte baardje. Stefan Merkelbach was niet bepaald onbemiddeld. Dat was duidelijk te zien aan zijn uitstraling, zijn kleding, de stijlvolle auto die hij reed, de rijk gedecoreerde winkel en het woonhuis. Alles aan die man was keurig en vooral erg duurzaam. Nee, dat kon niet waar zijn. Zo geslepen was Tessa niet. Hij kon haar maar beter niet vergelijken met Nienke. Daarmee deed hij Tessa onrecht. En hij durfde er zijn hand ook voor in het vuur te steken dat ze haar mond niet voorbij had gepraat over de naderende afronding van het politierapport. Ze was op de hoogte, maar ook heel goed in staat privé en werk duidelijk gescheiden te houden. André slikte zijn bittere gevoelens weg, evenals zijn negatieve gedachten over Nienke. Hij werkte nu in een andere plaats, met andere collega's. Vreemd. Hij besefte nu pas voor het eerst dat hij het politiekorps in Den Haag en alle collega's met wie hij jaren had samengewerkt, niet echt miste. Hij voelde zich hier, op dit bureau, als een vis in het water. Het bureau waarvan ook Tessa van Vliet onderdeel uitmaakte. Er gleed een voldane glimlach om zijn mond terwijl hij op zijn horloge keek. Hij had afgesproken haar naar het bureau te brengen waar ze Ben Jongsma vasthielden. Hij wilde erbij zijn wanneer ze haar verklaring aflegde en was niet van plan te laat te komen.

Tessa had de agenten tegenover haar precies verteld hoe de vork in de steel zat, en haar verklaring naderhand netjes ondertekend. Vanwege haar dienstkleding en omdat André haar tijdens haar verklaring vergezelde, gaven de agenten openheid van zaken. Ben Jongsma was nu officieel in staat van beschuldiging gesteld. In de achterbak van zijn auto hadden ze een donkere bivakmuts gevonden, een aanleiding om hem ook aan de tand te voelen over de aanranding van Karin Paans. Ben had de aanranding zelfs al bekend. Het slachtoffer dat hij gisteravond laat overrompelde, was echter niemand anders geweest dan Lindsay Visser, die na werktijd bij het zwembad naar huis wilde gaan. Het meisje had zich hevig verzet, vertelde een agent. Ze had met haar lange nagels over zijn wang gekrabd en was zelf gelukkig niet gewond geraakt tijdens de worsteling die volgde. Het politiebureau had Lindsay doorverwezen naar Slachtofferhulp, nadat Ben was gearresteerd.

Nu lag Tessa op bed. André had haar een halfuur geleden thuis afgezet met de orders dat ze eerst haar nachtrust moest inhalen. Morgenvroeg verwachtte hij haar weer uitgerust op het bureau. André Bontekoe was een superaardige chef, besefte ze ineens, en een kei van een collega. De fikse bekeuring die ze hem op zijn eerste werkdag in Breda had gegeven, rekende hij haar niet toe, hoewel ze daar in het begin wel bang voor was geweest, net als Ernst.

Langzaam doezelde Tessa weg. Haar laatste gedachten waren bij Hanneke. Ze nam zich voor Hanneke aan het begin van de avond op te bellen. Ze wilde haar vriendin graag met raad en daad bijstaan. Ze hoopte dat er anderen waren die haar nu steunden en troostten. Misschien Sjaantje en Herman, Hannekes ouders. Het was voor die mensen evengoed een slag.

Tessa sliep in. De uren die volgden, sliep ze diep en ongestoord. Ze werd gewekt door een hard geluid. Het was niet haar wekker. Die had ze vandaag niet op een bepaald tijdstip ingesteld. De cijfers wezen 17.45 uur aan. Opnieuw snerpte hetzelfde geluid waarvan ze wakker was geworden door haar appartement. Het was de voordeurbel, besefte Tessa ineens. Ze zwaaide haar benen naast het bed, trok een ochtendjas om zich heen, duwde pantoffels aan haar voeten en sloop vervolgens met een slaperig gezicht naar de voordeur. Door het spionnetje zag ze een bekende, tengere gestalte voor haar deur staan. Ze was meteen klaarwakker.

'Jessica!' Tessa opende haar voordeur. 'O, Jessica, kom snel binnen.'

'Sorry Tessa. Kom ik erg ongelegen? Ben je soms ziek of heb ik je uit bed gebeld vanwege een nachtdienst? Ik moet even met je praten. Het kan niet wachten.'

Tessa zag het bleke gezichtje van Jessica. Haar ogen keken angstig en zagen er behuild uit. Jessica was erg nerveus. Ze onderstreepte alles wat ze zei, met zeer nadrukkelijke handgebaren.

'Nee, je komt gelegen. Ga maar vast naar de woonkamer. Ik trek even snel een spijkerbroek aan.'

In een paar minuten had Tessa zichzelf aangekleed en haar tanden gepoetst. De rest kwam later wel.

In de kamer zat Jessica als een zielig hoopje mens te snikken op de bank.

'Wat is er aan de hand, Jessica?' Tessa boog zich naar Jessica en raakte zachtjes haar schouder aan. Jessica richtte onmiddellijk haar hoofd op.

Tessa wees met haar vingers naar haar mond en herhaalde de vraag.

'Sorry.' Jessica wreef haar tranen met een zakdoek weg. 'Ik heb van mijn moeder gehoord dat Ben, Ben van Hanneke, door de politie is opgepakt. Hij zit vast op het bureau. Weet jij dat ook al? Of heeft Hanneke je nog niet gebeld?'

Tessa knikte en ging tegenover Jessica zitten, zodat ze haar vol in het gezicht kon kijken. 'Ik ben op de hoogte van de situatie, Jessica. Ben heeft intussen bekend dat hij gisteravond een poging heeft gedaan om een meisje aan te randen. De aanrandingszaak van enkele weken geleden, waarvan de kranten melding gemaakt hebben, heeft Ben ook op zijn geweten. Ik vind het vreselijk voor Hanneke dat ze dit moet meemaken en... en... ook voor de kinderen. Heb jij al contact gehad met Hanneke? Weet jij hoe het nu met haar gaat?'

Jessica schudde wild met haar hoofd en stond op, terwijl ze onrustig naar het raam liep.

Tessa volgde haar en probeerde haar aandacht weer te krijgen. Ze kon praten wat ze wou, maar als Jessica haar niet aankeek, verstond ze er helemaal niets van. Ze raakte opnieuw de schouder van Jessica aan om aandacht te vragen. Maar Jessica snikte onbedaarlijk.

Tessa besefte dat Jessica het erg moeilijk had vanwege de sterk bekoelde relatie die ze al enige tijd met Hanneke onderhield. Ze sloeg een arm om de schouder van Jessica. Er schoot een brok in haar keel toen ze bedacht dat Hanneke al zo lang het zusterlijke contact met Jessica miste. Op dit moment had Hanneke de steun van Jessica hard nodig. Maar blijkbaar was het contact nog niet hersteld, want dan zou Jessica wel een bevestigend antwoord op haar vraag hebben gegeven.

Jessica drukte haar hoofd snikkend tegen Tessa's schouder, en zo bleven ze enkele minuten staan.

Tessa wreef troostend met haar hand over Jessica's schouder. Eindelijk verminderde het gesnik.

Jessica snoot haar neus en depte haar tranen. Ze keek Tessa met behuilde ogen en rode wangen aan.

'Toe, ga nog even zitten, Jessica. Lust je soms iets te drinken? Koffie, thee? Zeg het maar.' Tessa duwde Jessica weer zachtjes op de bank.

'Water,' fluisterde Jessica.

In de keuken liet Tessa twee glazen vollopen met kraanwater. Zelf kon ze ook wel een glas gebruiken. Ze hoopte dat ze zo meteen de juiste woorden kon vinden om Jessica te troosten. Misschien kon deze trieste affaire de relatie met Hanneke herstellen. Hanneke en Jessica waren altijd zo hecht met elkaar geweest. Ze konden elkaar niet missen. Zeker niet in de moeilijke omstandigheden waarin Hanneke nu verkeerde. Er was niet langer ruimte voor trots of een meningsverschil.

'Alsjeblieft.' Tessa reikte Jessica een glas water aan.

De tanden van Jessica klapperden tegen het glas toen ze een slokje dronk.

'Het spijt me dat ik me zo liet gaan. Maar ik ben zo verdrietig,' zei Jessica met hese stem. Ze zette het glas met trillende handen op de salontafel. 'Ik heb al een hele poos geen contact meer met Hanneke.'

Tessa knikte. 'Het is nooit te laat om het weer in orde te

maken met je zus. Ze heeft er al die tijd onder geleden, omdat ze niet weet wat er precies gebeurd is. Je weet dat ik geprobeerd heb te bemiddelen, maar dat is tot dusver niet gelukt, begrijp ik.'

Jessica beet op haar lip en onderdrukte een nieuwe huilbui. Tessa zag het. 'Kan ik iets voor je doen, Jessica? Als ik iets voor jou en Hanneke kan betekenen, zeg het me dan.'

Jessica kreeg een angstige blik in haar ogen. Ze schudde nadrukkelijk haar hoofd, waardoor het donkere krulhaar zachtjes meedeinde. 'Nee,' steunde ze. 'Het komt nooit meer goed tussen Hanneke en mij. Dat kan niet. Zelfs jij bent niet in staat te helpen, Tessa.'

Tessa fronste haar wenkbrauwen. Wat probeerde Jessica haar nu duidelijk te maken?

'Wat is het probleem? Kom voor de dag ermee, Jessica. Het antwoord dat je me geeft, bevalt me niet. Ik wil de werkelijke reden weten. Wat heeft Hanneke je aangedaan, dat jullie relatie als zusjes zo vreselijk ontspoord is.'

Jessica beet op de muis van haar hand, trok haar schouders op en zuchtte diep. 'Niks,' fluisterde ze dan. Het was nauwelijks hoorbaar, maar Tessa las het woord van haar lippen. 'Tussen Hanneke en mij is er niets gebeurd. Het ligt niet aan Hanneke. Het gaat om Ben. Ben valt me al vier maanden lang lastig. Het begon heel subtiel met een vriendelijke aanraking, een kus in mijn nek...' Jessica sprak de woorden nu luid en duidelijk uit. Met haar handen kneep ze hard in haar zakdoek. 'Ben ging steeds verder. Het was niet prettig. Hij kwam ook regelmatig naar Oosterhout en viel me thuis lastig met zijn handtastelijkheden. Gelukkig heeft Peter het nooit in de gaten gehad. Zo geniepig was Ben wel, dat hij ervoor zorgde dat niemand iets merkte. Hanneke had ook niets in de gaten. Op een dag werd ik erg boos op Ben. Ik was zijn irritante gedrag beu en zei tegen hem dat hij zijn handen voortaan thuis moest houden. Maar dat accepteerde hij niet. Hij dreigde Hanneke te vertellen dat ik hem steeds probeerde te verleiden, dat het allemaal mijn schuld was. En ik... ik voelde me daarna zo schuldig tegenover Hanneke.' Jessica stopte en dronk opnieuw een slokje water.

'Dat is dus de reden waarom je Hanneke niet meer onder ogen durfde te komen,' begreep Tessa onmiddellijk. Haar hart bonsde zwaar na Jessica's openhartige onthulling. De verwijdering tussen Hanneke en Jessica was de schuld van Ben. Ze herinnerde zich zijn bezoek aan Jessica weer toen ze zelf op het punt had gestaan met Jessica te gaan praten. Ben had haar toen op de mouw gespeld dat hij bemiddeld had tussen de beide zusjes. Dat was dus een leugen geweest. En in een eerder stadium had hij ook al negatief gereageerd op een verzoening met Jessica. Hij had er niets van willen weten.

'Ik durf Hanneke al heel lang niet meer onder ogen te komen. Het is mijn schuld niet, Tessa. Ben bleef me keer op keer lastigvallen. Het hield maar niet op, en iedere keer opnieuw liet hij me weten dat het mijn schuld was. Ik heb in korte tijd een enorme hekel aan Ben gekregen. Misselijk word ik van die vent. Maar ik vind het zo erg voor Hanneke...' Jessica begon weer zachtjes te huilen.

Tessa gaf haar een nieuwe zakdoek, en nadat Jessica haar tranen had gedroogd, vroeg ze: 'Is dat alles, Jess. Is het daarbij gebleven? Waren het alleen handtastelijkheden?'

Jessica wendde beschaamd haar blik af en knikte daarna zachtjes met haar hoofd. 'Ben is zo gemeen...' fluisterde ze.

Tessa hoorde de woorden nauwelijks. Ze draaide met haar hand het gezicht van Jessica naar zich toe. 'Heeft hij je soms verkracht, Jessica? Is Ben zo ver gegaan?'

'Nee, gelukkig niet. Maar ik haat hem, Tessa. Hij is zo gemeen. Hij heeft alles tussen Hanneke en mij kapotgemaakt. Alles. Ik kan haar nooit meer onder ogen komen. Nooit meer. Ze zal mij de schuld geven en denken dat ik haar man verleid heb.'

'O, Jessica, meisje toch.' Voorzichtig omhelsde Tessa de snikkende Jessica. In haar hoofd tuimelden allerlei gedachten door elkaar. Hoe had het ooit zover kunnen komen? Ben stond tot voor kort bij iedereen bekend als een jofele, gezellige, sympathieke kerel. Hij was dol op Hanneke en de kinderen, werkte hard, ging trouw naar de kerk en was bijzonder hulpvaardig voor de mensen om hem heen. Tessa begreep het niet. Maar op dit moment was dat ook niet belangrijk. Jessica had dringend hulp nodig, en Hanneke ook.

'Je kunt aangifte doen bij de politie, Jess. Dat is een eerste belangrijke stap in deze afschuwelijke zaak.'

'Dat kan ik Hanneke niet aandoen,' snikte Jessica wanhopig. 'Als Hanneke daarvan hoort, wil ze me vast nooit meer zien.'

'Ik denk dat we haar hiervoor niet kunnen beschermen. Hanneke wil het liefst openheid en eerlijkheid. Dat heeft ze me gisteravond duidelijk gemaakt. Kom, droog je tranen en luister naar mijn verhaal. Ik heb vanmorgen bij de politie al een belastende verklaring afgelegd tegen Ben. Dat vond ik ook heel erg om te doen, maar ik kon beroepshalve helaas niet anders. Dat kwam zo. Afgelopen zondag na de kerkdienst belde Hanneke me op...' Tessa vertelde over haar ontmoeting met Hanneke. Over het telefoontje dat Hanneke had gehad van Lindsay Visser en over de afschuwelijke ontdekking dat Ben al veel langer en meer dan eens meisjes lastigviel. 'Jij bent niet het enige slachtoffer, Jessica. En Ben mag niet de kans krijgen om ooit nog eens in herhaling te treden.'

'Toch wil ik voorlopig nog geen aangifte doen bij de politie. Ben is wel de man van Hanneke, de vader van Kim, Niek en Thijs. Die kleine, lieve schatjes. Nee, het voelt gewoon niet goed. Ik wil het Hanneke eerst allemaal uitleggen.' Jessica zuchtte diep en zei daarna aarzelend en met trillende stem: 'Als Hanneke me tenminste wil aanhoren. Denk je dat ze nog met mij wil praten, Tessa?'

Tessa slikte hevig geëmotioneerd de brok in haar keel weg. 'Ik help je,' fluisterde ze hees. 'Ik help je het contact met Hanneke te herstellen.'

Er kwam geen geluid uit Jessica's mond, maar haar lippen vormden de woorden 'dank je wel'. Tessa las het van haar lippen.

'En ik ben blij dat je mij in vertrouwen hebt genomen,' antwoordde Tessa. Intussen zochten haar gedachten naar een uit-weg in deze zaak. Ze wilde Hanneke en Jessica heel graag hel-pen, maar ze wist nu al dat het niet eenvoudig zou zijn. Han-neke was op dit moment erg kwetsbaar. Het leven zoals ze dat in relatie tot elkaar tot op heden hadden geleid, kon onmoge-lijk blijven zoals het was. Alles was anders geworden. Tessa's grootste zorg gold op dit moment Hanneke en de kinderen. Ja, ze kon zich goed voorstellen dat Jessica een aangifte bij de po-litie voorlopig nog niet zag zitten. Ze moest afwachten en voorlopig niet te veel op de zaken vooruit lopen. Eerst maar eens met Hanneke praten.

9

Van een afstand keek André de winkelstraat in waar hij voor de juwelierswinkel het makelaarsbord met 'Te koop' erop zag staan. Jammer. Merkelbach had een prachtig pand, prima gelegen, in het hartje van de stad. Aan klandizie kwam hij niets tekort. De winkel werd doorgaans druk bezocht, en er werd ook goed verkocht. André was dat te weten gekomen uit het politieonderzoek. Hij snapte niet waarom Merkelbach nu zo plotseling zijn winkel en het woonhuis te koop aanbood. De man moest wel een heel goede reden hebben. André liep langzaam naar de winkel toe en bleef even voor de etalage staan, waar gouden armbanden en ringen in een vitrine uitgestald lagen. Horloges, broches, oorbellen en zelfs uurwerken ontdekte hij in de vitrine ernaast. Merkelbach had een uitgebreide collectie; dat was hem al eerder opgevallen. André gluurde door de winkeldeur en zag Merkelbach achter zijn toonbank staan, waar juist een klant afrekende. De deurbel klingelde toen hij binnenstapte. De klant keek hem geschrokken aan en verliet na een korte groet de winkel. André was in uniform, en dat maakte indruk, besefte hij voor de zoveelste keer. Mensen gingen hem over het algemeen graag uit de weg. Achter in de winkel zag hij Rianne Dinkel bezig met een andere klant.

Merkelbach keek hem aan met een afwachtend blik.

'Kunnen we even praten?' informeerde André.

'Natuurlijk,' antwoordde Stefan. 'Is er nieuws? Hebt u de persoon opgepakt die er met mijn diamanten vandoor is gegaan?'

André schudde zijn hoofd. 'Nee,' zuchtte hij bezwaard, 'er is helaas nog geen enkele vooruitgang geboekt. Maar op een dag zullen we de dader oppakken; daar ben ik van overtuigd.'

Merkelbach leek tevreden met het antwoord.

Ze liepen samen naar het kantoor achter de winkel. De winkelbel klingelde opnieuw, en andere klanten kwamen binnen.

Rianne zou het druk krijgen, nu haar baas in beslag werd genomen door de politie.

Stefan bood André een stoel aan en een kop koffie. 'Waarom duurt het allemaal zo lang?' merkte hij zeurderig op. 'De schade die ik erdoor heb geleden, is enorm.'

'Ja, helaas. Dat spijt me voor u. Maar tot nu toe is de dader de politie te snel af geweest. We hebben nog geen enkel aanknopingspunt,' antwoordde André, en hij probeerde ongedwongen op zijn stoel te blijven zitten. Hij had er helemaal geen zin in een vriendelijk praatje met deze man te maken. Er ging iets naargeestigs van de juwelier uit. Kwam dat nu doordat hij hem niet vertrouwde?

'Waarom wilt u de winkel en het woonhuis eigenlijk verkopen?'

Er gleed een glimlach over het gezicht van Merkelbach. 'Ach, dat weet u vast van Tessa.'

'Nee,' ontkende André meteen. 'Dat heb ik niet van agent Van Vliet gehoord. Maar er staat een groot bord met 'Te koop' erop voor de winkel. U maakt het publiekelijk bekend. Vandaar.'

Stefan trok zijn schouders op en knikte. 'Tja, ik heb besloten ermee te stoppen.'

'Gaat het zakelijk dan zo slecht?'

'O nee, maar de roofoverval heeft een negatieve impact op me gehad. De angst dat er opnieuw een overvaller in mijn winkel komt, is wurgend. Ik lig er 's nachts wakker van.'

'Dat kan ik me voorstellen,' antwoordde André met een peinzende blik in zijn ogen. 'Als juwelier loop je nu eenmaal een groter risico dan enige andere middenstander.'

André zag een blik van opluchting op het gezicht van Merkelbach verschijnen.

'Ik ben blij dat u het begrijpt.'

'Wat bent u van plan daarna te gaan doen? Hebt u het zakelijk zo goed voor elkaar dat u kunt gaan rentenieren?'

'Nee, dat kan ik me voorlopig niet permitteren. Zoals ik al aangaf, heb ik een behoorlijke schade geleden met de roof van die diamanten. De waarde was aanzienlijk. Daarbij komt dat ik een zakenman ben. Eens een zakenman, altijd een zakenman, zeggen ze. Ik heb het er ook al met Tessa... ik bedoel: met agent Van Vliet over gehad. Het is mijn bedoeling in de nabije toekomst een modewinkel te openen. Het liefst in een andere plaats.'

'Dat zijn grootse plannen.' André kon niet voorkomen dat er enige spot in zijn stem klonk.

'Ik heb er goed over nagedacht, meneer Bontekoe,' probeerde Stefan hem te overtuigen. 'Een modewinkel is voor mij ook weer een heel nieuwe uitdaging.'

André observeerde het gezicht van Merkelbach. De man had een zelfverzekerde blik in zijn ogen. 'Is er misschien nog iets wat u zich kunt herinneren van de roofoverval? Iets, wat u tot nu toe over het hoofd hebt gezien? Al is het maar een kleinigheidje.'

Stefan schudde bedachtzaam zijn hoofd. 'Nee, ik kan u niets meer vertellen dan u al weet. Ik word er ook liever niet meer aan herinnerd. Het spijt me.'

André dronk zijn koffiekopje leeg en stond weer op. 'Dan ga ik nu naar het bureau en sluit ik het politieonderzoek naar deze zaak af. Ik zal vandaag nog uw verzekering inlichten.'

De ogen van Stefan werden groot. 'Maar... dat is fantastisch. Wat een opluchting. Dan krijg ik binnenkort mijn schadevergoeding uitgekeerd.' Zijn mond lachte toen hij de woorden uitsprak.

Via de winkel wilde André de juwelierszaak verlaten, maar Merkelbach hield hem tegen. 'Volgende week is Tessa... ik bedoel... agent Van Vliet jarig. Ik wil haar graag een mooie ring cadeau geven. Ze is een grote steun voor me geweest tijdens de weken na de overval. Bent u een beetje op de hoogte van haar smaak? Ik twijfel namelijk tussen geelgoud en witgoud.'

André keek de opgewekte juwelier perplex aan. 'Tessa jarig? Nou, nee... ik zou absoluut niet weten waar haar voorkeur naar uitgaat,' zei hij kortaf. Hij groette vervolgens, trok de winkeldeur open, hoorde het belletje driftig rinkelen en was weer blij op straat te staan. Het euforische gedrag van Merkelbach over de afronding van het politierapport maakte hem kwaad. Zonder omkijken liep hij de winkelstraat uit naar de plaats waar zijn dienstauto geparkeerd stond. Wat was die Merkelbach eigenlijk van plan met Tessa, vroeg hij zich wrevelig af. Was de vriendschap tussen beiden al in zo'n ver stadium gekomen dat er ringen gekocht moesten worden? André kon nauwelijks bevatten dat Tessa serieuze plannen had in die richting. Hij beet op zijn lip en besefte voor het eerst sinds zijn kennismaking met Tessa dat hij jaloers was op die geniepige juwelier. Het was die kerel gelukt Tessa te misleiden met zijn vermeende onschuld. Ze geloofde hem op zijn woord. Met een driftig gebaar startte hij de auto. Hij zou het politierapport vanmiddag afronden, maar voor hem begon het onderzoek nu pas echt goed op gang te komen. Zijn gedachten dwaalden af naar Tessa. Volgende week was ze jarig, volgens Merkelbach. Als Merkelbach er niets van gezegd had, was het hem ontgaan. Hij nam zich voor haar een etentje aan te bieden. Of ze nu gesteld was op Merkelbach of niet. Het kon hem op dit moment niets schelen. Binnenkort zou ze met andere ogen naar die juwelier kijken, wanneer hij door de mand viel met zijn criminele actie om de gestolen diamanten illegaal te verkopen en hiermee de verzekering op te lichten. Want dat was wat André duidelijk voorzag. Hij liet zich door niets en niemand misleiden. André kende zijn mannetjes bij de plaatselijke recherche intussen erg goed. Het waren bekwame collega's, die de illegale verkoop van juwelen vanaf vandaag nog beter in de gaten zouden houden dan ze al deden. Hij nam zijn telefoon bij de hand om de nieuwe opdracht meteen door te geven. Nee, Stefan Merkelbach was voorlopig nog niet van hem af. Hij was een dikke vis, die André recht op zijn net af zag zwemmen.

In de dagen die volgden, kwamen enkele belangstellende kopers in het gezelschap van de makelaar naar het woonhuis en de winkel van Stefan kijken. Eén van hen had ook belangstelling om de juweliuzaak in zijn geheel over te nemen, met alles erop en eraan. De andere gegadigden gaven de voorkeur aan een winkel met een andere bestemming, zoals een reisbureau, een schoenenzaak en zelfs een lunchroom. Stefan hoopte diep in zijn hart dat de juwelierszaak onder een andere beheerder zou blijven voortbestaan. Dat maakte alles een stuk eenvoudiger. Dan hoefde hij niet met de inboedel van de winkel te gaan leuren. Het hing er uiteraard wel van af of de koper en hij het eens konden worden over de vraagprijs. De makelaar zou de onderhandelingen voeren en hem op de hoogte houden. Stefan had er al over gebeld met Heleen, die erg enthousiast had gereageerd op deze ontwikkelingen. Hij had haar toegezegd dat hij het benodigde geld op tijd kon storten. Ze was opgelucht en blij geweest. En bij hem begon het nu ook te kriebelen. Ze hadden het tijdens hun telefoongesprek ook nog gehad over zijn komst naar Argentinië. Hij begon er met de dag meer naar uit te zien. Als Joop deze week van het kostbare handeltje af wist te komen en de verzekering meteen zou overgaan tot vergoeding van de geleden schade, hoefde hij alleen de verkoop van de winkel met het woonhuis nog maar te regelen. Over zijn dure auto had hij geen zorgen. Joop had daar al een bestemming voor, wist hij. En zo zou alles in korte tijd geregeld en afgehandeld worden. Sinds het moment dat Bontekoe hem had verteld dat hij het politierapport zou afsluiten, was Stefan al in een opperbeste stemming. Hij had zijn vreugde graag willen delen met Tessa, maar ze had hem laten weten dat ze voorlopig nog druk bezig was met de privéaangelegenheid van haar vriendin. Of hij tot het weekend wilde wachten met het maken van een nieuwe afspraak, had ze hem gevraagd. Het kon Stefan op dit moment weinig schelen. Ze was aardig en ze deed hem sterk aan Heleen denken. Maar hij had haar op dit moment alleen nodig als een soort bliksemafleider, meer niet. Als zijn huwelijk met Heleen en het plan om naar Argentinië te vertrekken er niet waren geweest, had hij misschien wel meer werk van Tessa van Vliet willen maken. Maar zo lagen de zaken nu eenmaal niet. Hij kon trouwens ook geen greintje belangstelling opbrengen voor de privéomstandigheden van haar vriendin. Ze had hem er iets over verteld, maar het had hem al snel verveeld. Zijn hoofd zat zo vol gedachten over de binnenkort te ontvangen geldbedragen en zijn vertrek naar Argentinië dat hij nauwelijks meer aan andere dingen kon denken.

Op vrijdagavond belde de makelaar hem op met het goede nieuws dat de potentiële koper van zijn winkel akkoord wilde gaan met de vraagprijs, inclusief de complete inboedel. De koper wilde het juweliersbedrijf in de toekomst graag voortzetten. 'Over drie weken kan alles bij de notaris afgehandeld worden, als het u schikt,' had de makelaar hem voorgesteld.

Stefan kon het goede bericht nauwelijks bevatten. Hij was met de snelle verkoop in een stroomversnelling beland. 'Ja, maak maar een afspraak voor de overdracht,' antwoordde Stefan, totaal overrompeld door het bericht. Er kwam ineens heel wat op hem af. Zou het hem lukken over drie weken al naar Argentinië te vertrekken? Het duizelde hem een moment. Als de verzekering hem het schadebedrag vóór die tijd zou uitbetalen, en Joop hem de opbrengst van de diamanten kon overhandigen, zou hij na zijn bezoek aan de notaris inderdaad in staat zijn om onmiddellijk te vertrekken. Stefan ging zitten, haalde diep adem en wreef daarna met zijn beide handen door zijn gezicht om zich ervan te overtuigen dat hij niet droomde. Hij schrok van het geluid van zijn mobiele telefoon.

Het was Joop. 'Ik ben ervan af,' zei Joop meteen. 'De koop is rond. Het geld is binnenkort beschikbaar, Stefan.'

'Je meent het!' schreeuwde Stefan, opnieuw overdonderd door het fabelachtige bericht. Hij hoorde Joop aan de andere kant van de lijn lachen.

'Fantastisch, vind je ook niet? Wanneer en waar treffen we elkaar?'

'Niet hier,' waarschuwde Stefan. 'We moeten elkaar ergens op een onbekende plek treffen. Daar kun je me mijn deel geven.' Het politieonderzoek naar de overval was dan wel afgerond, maar Stefan was toch nog op zijn hoede. Hij wilde geen slapende honden wakker maken.

'Misschien ergens op het platteland,' stelde Joop voor.

De woorden van Joop brachten Stefan op een idee. Hij wist dat de ouders van Tessa op het platteland woonden. Ze had hem erover verteld. Die locatie zou wel eens de perfecte plek kunnen zijn om het bedrag van de verkochte diamanten in ontvangst te nemen. In zijn hoofd ontstond een plan dat hem het bloed naar de wangen joeg.

'Ik neem voor die tijd nog contact met je op, Joop. Als alles lukt, kunnen we elkaar inderdaad ergens op het platteland ontmoeten en kun je me onopgemerkt mijn deel van de buit overhandigen.' Stefan verbrak de verbinding en zocht meteen telefonisch contact met Heleen in Argentinië.

'Als alles voorspoedig gaat, kun je me over ruim drie weken verwachten, schat,' vertelde hij haar. 'De winkel met de inboedel en het huis zijn zo goed als zeker verkocht. De verzekering kan ieder moment de vergoeding van de schade van de roofoverval uitbetalen, en Joop heeft zijn afspraken nu ook rond.'

Heleen reageerde bijna uitzinnig van vreugde. Maar daarna overlaadde ze hem met waarschuwingen. 'Let alsjeblieft goed op het contante geld dat Joop je binnenkort zal geven.'

'Ik ken het verschil tussen echt en vals geld heus wel,' mopperde Stefan. Dacht Heleen soms dat hij achterlijk was? 'Maak je geen zorgen. Alles komt goed.' Met deze woorden probeerde hij haar overbezorgdheid weg te nemen.

Die nacht sliep Stefan onrustig. Hij droomde van zijn reis naar Argentinië en het rijke leven dat hem daar wachtte.

Tessa sloot de deur achter Jessica.

Ze hadden nog een uur met elkaar zitten praten over Ben, Hanneke en de situatie zoals die er op het moment bij stond. Het laatste uur was Jessica weer wat rustiger geworden. Ze had haar verhaal verteld en was intussen een groot deel van haar emotionele spanning kwijtgeraakt. Tessa zag haar dan ook met een gerust hart naar Oosterhout vertrekken. Ze had met Jessica afgesproken dat zij – Tessa – contact zou zoeken met Hanneke om haar het verhaal van Jessica te vertellen. Jessica voelde zich niet sterk genoeg om die confrontatie op dit moment zelf aan te gaan. Daarvoor waren de zusjes te ver van elkaar verwijderd geraakt. En de angst dat Hanneke Jessica's kant van het verhaal niet zou willen geloven, achtte zij levensgroot. Het zou heel moeilijk worden voor Hanneke; dat voelde Tessa wel aan. Maar de waarheid kon niet verborgen blijven. Jessica zou op haar beurt ook voor opheldering zorgen, en allereerst Peter op de hoogte brengen van wat er in de afgelopen maanden gespeeld had. Vervolgens zou ze een telefoontje van Tessa afwachten om te horen of Hanneke haar nog wilde ontmoeten. In het slechtste geval wilde ze dat misschien nooit meer. De klap zou voor Hanneke wellicht te groot zijn. Op dit moment was het moeilijk in te schatten hoe groot het incasseringsvermogen van Hanneke was.

Tessa wierp een blik op de klok en kwam in actie. Ze nam een douche, kleedde zich om, at in de keuken aan het aanrecht een boterham en vertrok daarna naar het huis van Hanneke. Ze wilde eerst poolshoogte nemen en zien hoe haar vriendin er op dit moment aan toe was. Om negen uur belde ze aan. Het viel Tessa op dat de gordijnen van de woonkamer gesloten waren. Dat deed Hanneke bijna nooit. Door een kiertje scheen zwak lamplicht. Er klonk gestommel in de gang, en toen de voordeur openging, keek Tessa in het tobberige gezicht van Sjaantje Bijl, Hannekes moeder. Het was voor die mensen ook een hele schok, besefte Tessa.

'Ach, lieve kind, kom binnen.' Sjaantje leek opgelucht met haar komst.

Tessa kuste Sjaantje op beide wangen.

'Fijn je te zien, Tessa. Herman en ik stonden juist op het punt om weg te gaan. Maar het is erg moeilijk Hanneke op dit moment alleen te laten. Dat zul je wel begrijpen. Nu kun jij ons aflossen.'

'Dat is goed, tante Sjaan. Hoe gaat het nu met Hanneke?'

Sjaantje schudde aarzelend haar hoofd. 'Naar omstandigheden gaat het wel. Maar ze heeft iets vreselijks te verwerken gekregen. We zijn er allemaal door van streek. Herman en ik ook. We hadden iets dergelijks nooit achter onze schoonzoon gezocht. Enfin, loop maar door, meisje.' Tante Sjaan nam haar jas aan en hing die aan de kapstok.

Bij binnenkomst zag Tessa een wisselende blik van schrik en blijdschap op het gezicht van Hanneke toen ze elkaar aankeken.

'Tess,' kon Hanneke alleen maar uitbrengen.

Tessa zag de dikke wallen onder Hannekes ogen. Ze omarmde Hanneke en merkte daarbij een zekere onwil op.

Tante Sjaan duwde prompt een kop koffie onder haar neus en kondigde daarna hun vertrek aan. Oom Herman knikte haar vriendelijk toe en maakte aanstalten om samen met zijn vrouw het huis te verlaten.

'Morgenvroeg komen we weer. Dan breng ik Kim wel naar school,' stelde tante Sjaan haar dochter nog gerust voordat ze de deur dichtsloeg.

'Ik... ik had jou hier niet meer verwacht,' fluisterde Hanneke met een blik van pijn in haar ogen. 'Ik heb namelijk begrepen dat je vandaag een belastende verklaring hebt afgelegd tegen Ben. Ik dacht dat onze vriendschap voorgoed voorbij was na alles wat er gebeurd is.'

'Voorbij? Nee, Hanneke. Hoe kom je daar nu bij? Dat is het laatste wat ik wil. Ik wil je dolgraag helpen, waar ik maar kan.'

'Ik voelde me zo in de steek gelaten toen ik vandaag via de advocaat van Ben te horen kreeg dat jij een belastende verklaring hebt afgelegd. Je weet toch dat Ben mijn man is? Ik houd van Ben. Je hebt hem verraden, Tess. Je had toch ook kunnen zwijgen. Of niet soms?'

Tessa perste haar lippen op elkaar. De tranen brandden fel achter haar oogleden. Ze had erg met Hanneke te doen. Ze herinnerde zich weer het moment waarop Hanneke en Ben jaren geleden verkering kregen. Ze dacht aan hun trouwdag, waarop niets hun geluk in de weg leek te staan. Daarna volgde de geboorte van hun drie kindertjes. Het was tot voor kort een gelukkig gezinnetje. 'Het spijt me dat ik geen andere keuze had,

Hanneke. Heus, ik had er alles aan willen doen om geen verklaring te hoeven afleggen. Maar ik kon niet anders. Dat was ik op de eerste plaats verplicht aan het slachtoffer. Ben heeft zich schuldig gemaakt aan...'

'Ik weet het,' viel Hanneke haar schreeuwend in de reden. 'Ik weet heus wel dat Ben schuldig is. Hij geeft het zelf ook toe. Maar dat jij met je belastende verklaring de grond onder zijn voeten hebt weggehaald, kan ik maar moeilijk accepteren.

'Ik kreeg vannacht anders de indruk dat je eerlijkheid op prijs stelde, Hanneke.'

Hanneke nam een zakdoek uit haar broekzak, drukte die tegen haar gezicht en snikte: 'Het is alsof je nu een tegenstander bent. Ik voel me zo in de steek gelaten.'

'O nee, ik wil niet dat je zo denkt. Ik sta juist naast je, Hanneke. Ik wil alles voor je doen om je te helpen.'

'Je kunt me niet helpen. Mijn leven is kapot. Verwoest. En dat van de kinderen ook. Hoe moet het als Ben over een poosje weer op vrije voeten komt? Volgens zijn advocaat, die ik vanmiddag gesproken heb, krijgt hij waarschijnlijk een voorwaardelijke gevangenisstraf of een fikse geldboete en een taakstraf van gedwongen werkuren opgelegd.'

Ja, helaas, wilde Tessa zeggen. De straf die volgens de Nederlandse wetgeving aan dergelijke delicten werd verbonden, was niet al te hoog. Zeker niet in het geval van Ben. Hij had tot dusver nog geen strafblad, en de officier van justitie zou hem maar wat graag een nieuwe kans geven. De woorden lagen voor in haar mond, maar Tessa sprak ze wijselijk niet uit. Ze zouden te pijnlijk zijn voor Hanneke. 'Ik weet ook niet hoe het straks verder moet, Hanneke. Je zult samen met Ben weer een weg moeten vinden. Ben en jij hebben daar hulp bij nodig.'

Hanneke snikte en haalde in een machteloos gebaar haar schouders op. 'Hulp? Nee, daar is geen hulp tegen opgewassen. Ik zei je toch dat Ben mijn leven kapotgemaakt heeft. Hij heeft gisteravond een meisje aangerand, en het feit dat een meisje weken geleden hetzelfde is overkomen, wordt hem ook aangerekend. Sterker nog... Ben heeft het zelfs al bekend.' Hanneke snoot luidruchtig haar neus. 'En vanmiddag is meneer Smit, de werkgever van Ben, hier ook geweest. Hij had lucht gekregen van Bens arrestatie en kwam met de mededeling dat Ben op de werkvloer ook al enige tijd intimiderend gedrag ten opzichte van zijn vrouwelijke collega's vertoonde. Het ziet er zelfs naar uit dat Ben niet lang meer bij deze werkgever in dienst kan blijven. Meneer Smit probeert nu een ontslagregeling op basis van persoonlijke gronden te treffen bij het CWI.'

'O, wat ellendig, Hanneke. Tja, het is allemaal veel erger dan ik aanvankelijk dacht,' zuchtte Tessa moeizaam. Ze zocht naar een opening om Hanneke te vertellen wat Ben haar zusje Jessica had aangedaan.

'Wat wil je daarmee zeggen? Jij bent bij de politie. Je weet vast veel meer. Heeft Ben soms nog meer vergrijpen op zijn kerfstok? Ja, je hebt gelijk, Tessa. Ik wil heel graag de waarheid weten. Maar vandaag was het erg moeilijk de waarheid onder ogen te zien. Het was net alsof ik droomde, en alsof alles niet echt gebeurd is. Het liefst wil ik helemaal niets meer horen en mijn kop gewoon in het zand steken. Maar dan kan niet, hè? Het spijt me dat ik zo-even je vriendschap in twijfel trok. Ik ben vreselijk in de war.'

'Dat snap ik wel, Hanneke. Je krijgt ook zo veel te verwerken. Maar er is wel een ander ernstig vergrijp waarover ik je helaas ook iets moet vertellen. Een zaak waarvan nog geen aangifte is gedaan.'

'O, nee hè. Heeft Ben nog een meisje...' Het lukte Hanneke niet meer woorden uit te spreken. Haar gezicht trok wit weg. Tessa knikte slechts en wachtte het moment af waarop Hanneke haar weer durfde aan te kijken.

'Wie?' Hannekes lippen vormden slechts het woord. Er kwam geen geluid uit haar keel.

Tessa nam de handen van Hanneke vast. 'Jessica is vanmiddag bij me geweest,' begon ze.

'Jessica...' Hanneke wrong haar handen los en sloeg een

hand voor haar mond. Haar ogen werden groot als schoteltjes. Er verscheen een blik van angst in. 'Vertel maar niets meer, Tess. Ik weet al wat er komt.'

'Oké, maar dat is wel de reden waarom Jessica de laatste maanden geen contact meer met je kon onderhouden. Ben heeft haar meer dan eens aangerand en bedreigd. Ze kon jou niet meer in de ogen zien. Ze schaamde zich. Ze was bang dat jij haar niet zou geloven. Maar Jessica treft geen enkele blaam, Hanneke.'

Hanneke stond op van haar stoel en kreunde binnensmonds: 'Mijn eigen zusje. O, Jessica...'

Tessa stond ook op en sloeg een arm om de schouders van Hanneke. 'Jessica heeft geen aangifte gedaan. Ze wil eerst met je praten. Maar ze is op dit moment bang dat je haar niet meer wilt zien.'

Hanneke keek Tessa aan, haar ogen vol tranen. 'Natuurlijk wil ik Jessica graag zien. Ik mis haar al zo lang. Als Ben haar ook met zijn smerige poten heeft aangeraakt, is hij veel te ver gegaan. Nee, dit accepteer ik niet. Ja, ik geloof haar verhaal meteen. Daar hoeft ze geen minuut bang voor te zijn. Ik wil een echtscheiding, Tess. Ik blijf niet langer getrouwd met Ben.'

'Loop nu niet te hard van stapel,' probeerde Tessa haar te sussen.

'Ik meen het,' antwoordde Hanneke helemaal overstuur. 'Ik meen het echt. Hij had van mijn zusje af moeten blijven. Mijn lieve, lieve zusje. Hij heeft gewoon misbruik van haar gemaakt. Dat vergeef ik hem nooit.'

Daarna kwamen de waterlanders. Het duurde lang voordat Hanneke weer tot bedaren kwam. Tessa was niet ontevreden over het gesprek. Dat Hanneke heftig zou reageren, had ze wel verwacht. Het zag er nu in ieder geval wel naar uit dat het contact tussen de zusjes binnenkort hersteld zou worden. Een klein lichtpuntje in het duister.

Here God, wilt U Hanneke helpen en haar door deze donkere nacht dragen, bad Tessa. Wat anders kon ze op deze moeilijke momenten doen dan bidden om hulp en kracht?

10

Tessa opende haar ogen na een diepe, verkwikkende nacht-rust. De wekkerradio gaf halfzes aan. Hoogste tijd om op te staan. Ze moest zich om zeven uur op het bureau melden voor de schriftelijke afhandeling van een proces-verbaal, voordat ze met Ernst de straat op zou gaan om toezicht te houden. De laatste week was er onrust ontstaan tussen groepen Somaliërs en Antillianen. De politie patrouilleerde al enkele dagen om dreigende onlusten de kop in te drukken. Tot nu verliep het succesvol. Maar de spanning tussen de twee bevolkingsgroepen bleef explosief. Patrouilleren en toezicht houden om de openbare orde te handhaven kreeg voorlopig prioriteit bij het plaatselijke regiokorps. Door de arrestatie van Ben en de daaruit voortvloeiende problemen had Tessa enkele briefings gemist. Wat ze wel te horen had gekregen, was het ene oor in, en het andere uit gegaan. Ze was er met haar hoofd niet bij. Het was een geluk dat de chef op de hoogte was van haar privéleven. Hij had duidelijk begrip voor haar situatie en probeerde haar op de werkvloer enigszins te ontzien. Haar gedachten dwaalden ook steeds af naar Hanneke, die het erg moeilijk had en maar geen vrede kon krijgen met de ontstane situatie. Ze was nog steeds van plan een echtscheiding aan te vragen. De komende avond had Tessa een afspraak staan om samen met Jessica naar Hanneke te gaan.

Jessica had haar eergisteren opgebeld om te zeggen dat ze klaar was voor een gesprek met haar zus. Peter was intussen op de hoogte gebracht en moedigde een verzoening tussen beide zussen aan. Hij was Tessa dankbaar voor haar inzet en bemiddeling. Jessica was al dagen uit haar doen en met ziekteverlof thuis van haar werk omdat de handtastelijkheden en de bedreigingen van Ben haar de laatste maanden te veel waren geworden. Al die tijd had ze ermee rondgelopen en op de automatische piloot geleefd. Ze was te bang geweest om aan de bel te trekken. Nu Ben vastzat en bekend had dat hij schuldig was aan enkele aanrandingen, kwam de verwerking bij Jessica pas goed op gang.

Na het telefoontje van Jessica had Tessa ook een telefoontje van Stefan gehad. Hij had haar uitgenodigd voor de komende avond voor een etentje in een gezellig restaurantje in de stad. Zijn stem had uitgelaten blij geklonken 'Het is dan je verjaardag, Tessa. Ik wil je graag een exclusief cadeautje geven,' had hij gezegd. 'En verder is er hier in korte tijd veel gebeurd. Mijn winkel en het huis zijn verkocht, maar dat wist je al. Zelfs je chef, Bontekoe, heeft het dossier van de roofoverval nu definitief afgesloten. Ik heb al contact gehad met de verzekering, en ik kan rekenen op een forse schadevergoeding.'

Tja, dat was eergisteren geweest.

Ze was vandaag jarig, besefte Tessa ineens toen ze haar benen langs het bed zwaaide. Echt jarig voelde ze zich niet. Ze had de uitnodiging van Stefan met een bezwaard hart afgewezen. Ze kon het niet over haar hart verkrijgen een ontmoeting tussen Jessica en Hanneke af te blazen en hen nog langer te laten wachten. Het had haar niettemin veel moeite gekost Stefan duidelijk te maken dat ze vanavond echt niet met hem mee kon.

'Een andere keer dan maar,' had hij teleurgesteld geopperd. 'Ik had niet gedacht dat je voorkeur zou uitgaan naar een verjaardagsavondje samen met je vriendin.'

'Mijn vriendin heeft me nodig, Stefan. Ze heeft het momenteel erg moeilijk. Haar man zit nog steeds vast. Ik kan haar nu niet laten vallen,' had ze met overtuiging in haar stem geantwoord. Stefan moest hiervoor begrip hebben, vond ze. Afgelopen weekend had ze Stefan ook al laten weten dat ze weinig tijd voor hem kon vrijmaken. Toen had hij haar de laatste nieuwtjes over de verkoop van zijn winkel en het huis al verteld.

'Je vrijgezellenstatus verbaast me niets,' had hij daarna op bijtende toon gezegd. 'Een man komt niet graag op de tweede plaats, liefje.'

Het waren scherpe woorden geweest, die in haar hart sneden

en ontstellend veel pijn deden. Stefan voelde zich duidelijk op de tweede plaats gezet. Dat liet hij met zijn woorden goed merken. En dat terwijl ze hem zo graag beter wilde leren kennen. Haar gedachten aan Stefan en een toekomst met hem stonden momenteel echter op een laag pitje. Ze kon niet anders. Hoe moeilijk ze het ook vond, Hanneke had haar tijd en aandacht nodig.

Het alleen-zijn knaagde weer aan Tessa. Maakte ze soms de verkeerde keuze door vanavond voor Hanneke en Jessica klaar te staan? Zou ze de aandacht die Stefan voor haar had, hierdoor verliezen? Had Stefan dan geen begrip voor de situatie van haar allerbeste vriendin? Dat was toch het minste wat ze van hem mocht verwachten: een klein beetje begrip? Haar ouders en Jacco hadden er ook geen bezwaar tegen gehad haar verjaardag op een later tijdstip te vieren. Maar zij kenden Hanneke dan ook erg goed. Misschien lag daar wel het verschil. Stefan kende Hanneke niet eens. Onbekend maakt onbemind.

Tessa pakte een badhanddoek uit de kast en stapte onder de douche. Daarna trok ze haar dienstkleding aan en kamde ze het natte haar in model. Ze wilde juist een boterham smeren, toen de bel ging. Met een gefronst voorhoofd vroeg ze zich af wie er op dit vroege uur van de dag voor haar deur zou staan. Door het spionnetje zag ze het bekende gezicht van André. Ze opende meteen de deur. Het moest wel heel erg belangrijk zijn. Hij kwam nooit zo vroeg aan haar deur.

'Chef...' Verbaasd keek ze naar het dienblad dat André in zijn handen hield.

Hij glimlachte. 'Een ontbijtje voor de jarige,' zei hij. 'En ik heb er meteen een dubbel ontbijtje van gemaakt, want ik eet met je mee. Dat gaat in één moeite door.'

'O, wat aardig.' Tessa voelde zich erg verlegen met het vriendelijke gebaar.

André liep langs haar heen naar binnen. 'Je moet alleen nog voor koffie zorgen. Versgeperst sinaasappelsap staat al op het blad.' Hij zette het dienblad voorzichtig op tafel en stak daarna zijn hand uit. 'Proficiat, Tess. Ik hoop niet dat ik je op dit vroege tijdstip in verlegenheid breng, maar onze dienst begint pas over een uur. We hebben nog een halfuurtje om samen te ontbijten. Ik wilde je vandaag graag verrassen, en ik ben zelfs een uur eerder uit mijn bed gekomen om dit hier allemaal voor je klaar te maken.' Hij wees met een triomfantelijk gebaar naar het dienblad, dat rijkelijk gevuld was met broodjes, krentenbollen, beleg en glazen sinaasappelsap. Vervolgens drukte André drie klapzoenen op haar wangen.

Tessa voelde zijn baardhaartjes zachtjes tegen haar kin kriebelen. Van dit onverwachte bezoekje werd ze helemaal blij. Iets dergelijks had ze helemaal niet van haar chef verwacht.

'Ik zet meteen koffie.' Ze trok haar hand uit zijn krachtige hand en verdween snel naar de keuken.

Hij schoof haar stoel aan toen ze terugkwam met een pot koffie en ging tegenover haar zitten.

'Wat een leuk idee, André. Bedankt voor al het lekkers,' lachte ze dankbaar. Het gevoel van eenzaamheid was weg. Dat André vandaag, op dit vroege uur, aan haar had gedacht, deed haar zichtbaar goed. Hoe wist hij eigenlijk dat ze vandaag jarig was, vroeg ze zich af. Meteen besefte ze dat hij natuurlijk alle personeelsgegevens op het bureau vrijelijk kon doornemen. Zo was hij erachter gekomen, veronderstelde ze.

'Ja, ja. Het is al goed,' bromde André. 'Zullen we even stil zijn.' Samen vouwden ze hun handen en vroegen ze in stilte een zegen over het ontbijt. Daarna schonk Tessa koffie in.

'Ik wil graag iets met je afspreken voor je verjaardag...' begon André aarzelend. 'Ik wil je graag uitnodigen om...'

'Ik ben vanavond al verhinderd,' onderbrak Tessa hem.

'Ja, dat begrijp ik. Je gaat zeker uit met Merkelbach?'

Tessa schudde haar hoofd. 'Nee, Stefan heeft me wel uitgenodigd, maar ik had al een afspraak met Jessica en Hanneke. Je weet intussen van de situatie tussen beide zusjes, waarover ik je onlangs heb verteld.'

'Ja, de zwager die naast enkele strafbare feiten die hij op zijn geweten heeft ook zijn schoonzusje lastigviel, en momenteel vastzit. Dat is een afschuwelijke situatie, Tessa. Zeker nu het contact tussen je vriendin en haar zusje daardoor bekoeld blijkt te zijn.'

'Vanavond ontmoeten Jessica en Hanneke elkaar weer sinds lang. Ze willen allebei dat ik erbij aanwezig ben. Daarom vier ik mijn verjaardag niet.'

'Begrijpelijk. Ik wens je heel veel sterkte voor vanavond. Dat zul je nodig hebben. De hele situatie heeft je kennelijk erg aangegrepen. Dat merk ik op het bureau ook aan je.'

Er schoot een brok in Tessa's keel, en er sprongen tranen in haar ogen, die ze driftig probeerde weg te knipperen. De meelevende reactie die haar chef gaf, had ze liever uit de mond van Stefan gehoord. Maar die had er geen idee van waar ze op dit moment doorheen ging.

'Toch wil ik graag iets met je afspreken, Tess. Misschien op een later tijdstip, wanneer je eraan toe bent.'

'Goed, wat heb je voor me in petto?'

'Ik wil nog steeds een keer uitgebreid voor je koken, maar ik wil je ook graag een dagje meenemen naar Den Haag. Niet met mijn auto, maar achter op mijn motor. Ik wil je bewijzen dat ik een goede motorrijder ben.'

Er schoot een felle blos naar haar wangen. Ze herinnerde zich het moment weer dat ze hem op de bon slingerde voor een snelheidsovertreding. Het had niet veel gescheeld of dat verbaal had hun arbeidsverhouding ernstig verstoord. Maar zover was het gelukkig niet gekomen. André had zich daarna wel even geroerd, maar zich vervolgens bij de situatie neergelegd en het verbaal zonder tegensputteren betaald. Zijn beroepshouding ten opzichte van Ernst en haar was daarna bijzonder collegiaal geweest. André had zich een prima korpschef betoond.

'Dat kan niet, André,' glimlachte ze. 'Ik heb geen helm, en ook geen motorpak. Trouwens, jij hoeft jezelf niet te bewijzen. Ik geloof zo ook wel dat je een goede motorrijder bent.'

'Dat excuus aanvaard ik niet. Ik zorg wel voor een helm en een passend motorpak. Binnenkort, als het weer buiten goed is en we samen een dag vrij van dienst zijn, en als je Hanneke een dag alleen kunt laten, bel ik je op. Dat beloof ik.'

'Oké,' antwoordde Tessa. 'En deze keer zal ik mijn bonboekje op het bureau laten liggen.'

Andrés lach schalde door de kamer. 'Dat is je geraden, jongedame,' waarschuwde hij haar daarna plagerig.

Tessa schonk opnieuw koffie in en nam een krentenbol uit het mandje met broodjes. Het was al een tijd geleden dat ze zo ontspannen had zitten lachen en praten. Het ontbijt smaakte goed. André maakte dat ze zich weer jarig voelde, zoals haar ouders vroeger haar verjaardag met felicitaties en een feestelijk ontbijt begonnen. Dank zij André was deze dag goed begonnen. Vreemd, op dit vroege uur van de dag zo vertrouwelijk met haar chef aan de ontbijttafel te zitten. Tessa glimlachte tevreden. Dicht bij elkaar in de buurt wonen had ook zijn voordelen, besefte ze.

Een halfuur later liepen ze samen geüniformeerd naar de parkeerplaats. Ze waren klaar om aan een nieuwe werkdag te beginnen.

De opwinding over het naderende vertrek naar Argentinië zorgde ervoor dat Stefan het af en toe Spaans benauwd kreeg. De spanning nam toe. Er moest veel geregeld worden in korte tijd.

Hij had intussen al een gesprek gehad met de nieuwe eigenaar van zijn winkel en woonhuis. Het ging om een echtpaar, jong en ambitieus. De man was gediplomeerd goudsmid, en zijn vrouw een ervaren verkoopster. Na het opmaken van een uitgebreide inventarisatie besloot het echtpaar Rianne Dinkel na de overdracht ook parttime in dienst te houden. Stefan was blij met die beslissing. Hij had het erg moeilijk gevonden Rianne na haar jarenlange trouwe dienstverband ontslag te moeten geven. Dat verdiende ze niet. Ze was altijd een goede, betrouwbare winkelhulp geweest. Hij wenste haar het allerbeste toe.

Verder was hij al begonnen met het inpakken van zijn kleding en inboedel. Via Joop was hij aan het adres van een opkoper gekomen voor zijn meubels. Hij was niet in staat alles mee te nemen naar Argentinië. Heleen had intussen al veel geregeld en ter plaatse nieuwe meubels besteld.

Aan de winkel hoefde hij niets te doen. De nieuwe eigenaren waren van plan de juwelierswinkel de eerste week te sluiten voor een kleine reorganisatie. 'Juwelier Merkelbach' zou in de toekomst verder gaan onder een nieuwe naam: 'Juwelier Van Someren'. Voor de klanten stonden aantrekkelijke acties op het programma. Het echtpaar zat vol plannen voor de toekomst.

Stefan ontving niet veel later via een bankoverschrijving een flinke schadevergoeding van de verzekeringsmaatschappij voor de geroofde diamanten. Hij kon zijn geluk niet op toen hij het hoge bedrag met eigen ogen zag staan. Het duizelde hem zelfs. Heel even was hij in de verleiding geweest het bedrag meteen over te boeken naar Argentinië, zodat Heleen al wat meer financiële armslag had om een eerste aanbetaling voor het nieuwe huis te doen. Hij wist dat ze er dringend op zat te wachten. Maar Joop had hem nadrukkelijk geadviseerd alles pas over te schrijven vlak voor zijn vertrek naar Argentinië. 'Haal nu geen domme streken uit, Stefan. Blijf voorzichtig, ondanks het feit dat het dossier gesloten is. Als ze erachter komen dat jij een groot bedrag overboekt naar Argentinië, zullen ze je weer vervelende vragen gaan stellen.'

De uitspraken van Joop hadden bij Stefan achterdocht gewekt. Zou de politie hem dan nog in de gaten houden? Hij kon het zich nauwelijks voorstellen. Bontekoe was op de hoogte van zijn warme vriendschap met agent Van Vliet, zoals hij haar heel zakelijk noemde. En Tessa geloofde oprecht in zijn onschuld. Tessa was een goede bliksemafleider. Bontekoe zou hem niet verdenken van fraude, omdat Tessa geen kwaad zag in hun vriendschap. Stefan dacht met genoegen terug aan het moment dat ze elkaar hadden gekust. Lang en innig. Hij had zich daarna wel enigszins schuldig gevoeld vanwege Heleen. Gelukkig was Heleen ver weg en werd ze niet geconfronteerd met zijn buitenechtelijke relatie. Hij wist dat hij haar daarmee zou kwetsen, hoewel hij toch ook aan zijn eigen situatie en veiligheid moest denken. Tja, dat laatste was een goed excuus. Hij moest nu eenmaal de schijn ophouden tot aan zijn vertrek. Tessa was hem daarbij tot nu toe bijzonder behulpzaam. Hij had zelfs het idee dat ze een beetje verkikkerd op hem was.

Toch maakte Stefan zich zorgen. Vandaag had hij al vier keer een politieauto langzaam door de winkelstraat zien surveilleren. Het maakte hem bang en nog achterdochtiger dan hij al was. Allerlei scenario's drongen zich ongewild op in zijn gedachten. 's Avonds belde hij Joop en sprak hij zijn bange vermoedens uit.

'Laat je kop niet gek maken, man. Er is niets aan de hand,' lachte Joop zijn angst onmiddellijk weg. 'Ik heb onlangs gehoord dat er wat opstootjes waren tussen immigranten in de binnenstad. Daarom is er zo veel blauw op de been. Daar kunnen we handig gebruik van maken. Volgende week zaterdag kan ik je een spelletje monopoly overhandigen. Waar zullen we afspreken? Je wist toch een plekje op het platteland, ver van Breda vandaan in ieder geval?'

'Monopoly...' Er verscheen een zorgelijke frons op het voorhoofd van Stefan. Wat bedoelde Joop daarmee?

'Nadenken, Merkelbach!' De stem van Joop klonk ongeduldig. 'Wanneer ik je die doos met inhoud overhandig, ga jij diezelfde avond nog naar Schiphol. Dan kun je om 23.30 uur vertrekken. Geen haan die ernaar kraait.'

'Je bedoelt dat je het geld van ons handeltje hebt ontvangen, en dat het in die monopolydoos zit?'

'Slim van je,' mopperde Joop ongeduldig. 'Je zult alleen een manier moeten vinden om alles via de douane in het vliegtuig te krijgen. Het bedrag van je huis en je winkel, dat volgende week vrijdag bij de notaris vrijkomt, en het uitbetaalde verzekeringsgeld moet je vrijdagmiddag bij de bank meteen overmaken naar Argentinië. Regel alvast een afspraak en vergeet Heleen niet te bellen. Ze zal blij zijn je weer in haar armen te sluiten. En boek je reis zo snel mogelijk.'

'En jij? Wat ga jij doen wanneer alles achter de rug is, Joop?'

'Ik red me wel,' antwoordde Joop. 'Neem binnen enkele

dagen contact met me op, zodat we een plaats en een tijdstip kunnen afspreken. Dan kun jij diezelfde dag in het vliegtuig al een partijtje monopoly spelen.' Joops lach bulderde door de telefoon. Daarna werd de verbinding verbroken.

Stefan bleef nog even verdwaasd voor zich uit zitten kijken. Joop had de touwtjes goed in handen; dat was duidelijk. En Joop kende blijkbaar ook geen angst om opgepakt te worden. Maar ja, Joop was nu eenmaal vertrouwd met dergelijke dingen. Dit was niet zijn eerste klus. Op Joop kon hij blindelings vertrouwen. Zolang hij deed wat Joop hem opdroeg, zou het goed komen. Daar kon Stefan van op aan. Hij ontspande zich en boekte meteen een vlucht naar Argentinië op de dag en het tijdstip die Joop hem had aangeraden. Er werd voor hem een plaats in de businessclass gereserveerd. Het ticket dat hij al in zijn bezit had en drie maanden geldig was, kon hij laten verwerken op Schiphol, zodat de datum en de tijd van vertrek aangepast konden worden.

Zijn gedachten gleden naar Tessa. Hij zou haar bellen om een afspraak te maken, zodat Joop hem ergens op het platteland het monopolyspel kon geven. Ver uit het zicht van de oplettende ogen van de politie. De ouders van Tessa woonden afgelegen. Een betere plek om de monopolydoos met inhoud in handen te krijgen kon hij niet verzinnen. Niemand zou ook maar iets vermoeden van wat er gaande was. Hij kon Tessa heel simpel om de tuin leiden; dat was niet zo moeilijk. Hij verheugde zich nu al op een middagje uit met haar. De kennismaking met de familie Van Vliet nam hij op de koop toe. Het zou zijn laatste dag in Nederland worden. Tessa moest eens weten. Stefan grinnikte. Het was wel heel erg eenvoudig geweest een vrouwelijke politieagent te misleiden.

Na werktijd zag Tessa op haar mobieltje dat er een gemiste oproep was geweest.

Hanneke had een korte boodschap ingesproken: 'Tess, ik woon tijdelijk ergens anders. Bel me voordat je vanavond met Jessica naar me toe komt.'

Tessa zocht meteen contact met Hanneke. Ze had haar uniform nog aan en was nog geen meter van het politiebureau vandaan. Ze stapte in haar auto en hoorde Hanneke met een verslagen stem vertellen dat ze noodgedwongen voor de duur van enkele weken een huisje had gehuurd in een bungalowpark. Haar ouders hadden de betaling geregeld, omdat Hanneke zelf niet in staat was geweest op korte termijn zo'n grote uitgave te doen. De dorpelingen, die hadden gesmuld van de sensationele krantenberichten waarin Ben als meedogenloze aanrander werd afgeschilderd, hadden haar het leven de laatste dagen erg zuur gemaakt. Alsof zij er iets aan kon doen dat Ben zich aan twee meisjes had vergrepen. De roddel en de boze verwijtende blikken van de dorpelingen had ze dapper voor lief genomen. Het waait wel weer over, had ze steeds moedig gedacht. Maar vanmorgen was Kim op school het doelwit geweest van gemene plagerijen. Dat was voor Hanneke de bekende druppel geweest om zo snel mogelijk te vertrekken. Ze kon het niet langer verdragen toen Kim huilend uit school kwam. Daar had haar kleine meid van een wachtende moeder te horen gekregen dat haar pappie nooit meer uit de gevangenis mocht omdat hij een grote boef was. Het was afschuwelijk. De mensen reageerden hun boosheid en frustratie over de misdaden van Ben niet langer meer alleen op haar af, maar ook op haar kind. Dat ging te ver en was niet eerlijk. Kim miste Ben toch al zo erg. Ze kreeg, net als zij, zo veel te verwerken. Je hield Kim niet voor de gek, ze was een echte wijsneus en wist heus wel dat er iets naars was gebeurd. Pappa kwam niet meer thuis, mamma huilde vaak. De politie was al een keer geweest om over pappa te praten, en ook andere onbekende mensen kwamen over de vloer. Het enige rustpuntje in Kims leven waren opa en oma, die overdag voor hen kwamen zorgen en haar naar school brachten. Niek was in dat opzicht nog te klein om de ernst van de situatie te begrijpen. En Thijs was nog maar een baby en helemaal onwetend.

Tessa noteerde het adres waar Hanneke met haar kinderen tijdelijk naartoe was gegaan. Het was maar een halfuurtje verder rijden, in de omgeving van Utrecht.

Vroeg in de avond reed ze naar Jessica's huis om haar te halen.

Jessica zag er afgemat uit, met donkere kringen onder haar ogen.

'Gaat het een beetje?' vroeg Tessa belangstellend toen Jessica haar met een nerveuze blik aankeek.

Jessica haalde haar schouders op en begon haar woorden met gebaren te ondersteunen toen ze zei: 'Ik ben steeds bang dat Hanneke boos op me zal zijn. Waarom heeft ze me niet gebeld, Tessa? Ik had erop gerekend dat ze dat van tevoren zou doen.'

Tessa hield de autodeur voor Jessica open, zodat ze kon instappen. 'Ik weet het niet. Maar Hanneke heeft moeilijke dagen achter de rug...' Tijdens het wegrijden vertelde Tessa dat Hanneke tijdelijk op een ander adres verbleef. 'Hanneke is door de arrestatie van Ben behoorlijk getraumatiseerd. Ze is vreselijk boos op wat Ben die twee andere meisjes, maar ook jou heeft aangedaan. Zo boos zelfs dat ze van hem wil scheiden. Ik denk dat ze zich schaamt omdat Ben zich heeft misdragen.'

'Nee...' stiet Jessica geschrokken uit. Daarna herstelde ze zich meteen. 'Nou ja, eigenlijk kan ik wel begrijpen dat ze niet langer met hem getrouwd wil blijven. Ben is gestoord, als je het mij vraagt.'

'Dat zullen de deskundigen wel uitzoeken', antwoordde Tessa. Ze moest haar aandacht nu bij de weg houden.

Ze reed in één keer door naar het adres dat Hanneke haar via de telefoon had opgegeven. Een kindvriendelijk bungalowpark, waar naar hartelust gespeeld kon worden.

Het weerzien tussen de beide zusjes was erg emotioneel. Tessa keek ontroerd toe toen ze elkaar omhelsden. Hanneke en Jessica trokken zich daarop terug in Hannekes slaapkamer voor een gesprek met elkaar, terwijl Tessa in het open keukentje een pot koffie zette. Het was stil in de kamer. Hanneke had haar drietal al vroeg op bed gelegd. Een halfuurtje later kwamen Hanneke en Jessica gearmd terug in de kamer. Het gezicht van Jessica straalde, en op de wangen van Hanneke zag ze nog sporen van tranen.

Tessa ging meteen met de koffiepot rond. 'Alles weer in orde tussen jullie twee?' informeerde ze glimlachend.

De spanning was gebroken. Jessica knikte, en Hanneke veegde nog een laatste traan weg.

'Jess heeft me haar verhaal verteld, en ik heb haar dat van mij verteld. Ik blijf voorlopig bij mijn beslissing echtscheiding aan te vragen. Morgen ga ik op bezoek bij Ben. Dat mocht al eerder, maar dat kon ik nog niet aan. Nu ik iets te melden heb, ga ik. Ik wil hem niet langer in het ongewisse laten. Ben is behoorlijk ziek, als hij dergelijke vergrijpen op zijn geweten heeft. Jess heeft gezegd dat ze geen aangifte bij de politie zal doen vanwege de kinderen. Dat heeft Ben niet verdiend, maar ik ben Jessica wel dankbaar dat ze in deze situatie ook aan de kinderen denkt.'

'Ben zal zijn straf toch wel krijgen,' zei Tessa. 'Maar jij hebt ook hulp nodig, Hanneke. Misschien is het verstandig in gesprek te gaan met de dominee. Hij kent jullie goed, en de meeste roddelaars uit de omgeving komen in dezelfde kerk. De dominee heeft daar vast een positieve invloed op, zodat ze jou en de kinderen in het vervolg met rust zullen laten. En over een echtscheiding kun je met de dominee ook praten.'

'Ben is vreemdgegaan, Tessa. Misdadig vreemdgegaan. Ik mag op grond van dit gegeven toch wel echtscheiding aanvragen?' reageerde Hanneke onmiddellijk.

'O ja, dat kun je doen, Han. Maar het lijkt me goed voor je dit met iemand te delen die je in vertrouwen kunt nemen. Jij hebt wat extra hulp nodig. En een betere persoon dan de dominee kan ik op dit moment niet verzinnen.'

Jessica was het roerend met Tessa eens. 'Dan pas ik wel op de kleintjes,' bood ze meteen aan.

Na de koffie stond Jessica op. 'Ik ga even kijken of ze alle drie slapen. Ik heb ze de laatste tijd zo ontzettend gemist.'

Tessa en Hanneke keken Jessica na toen ze zachtjes de trap op klom en in een kinderkamer verdween.

'Bedankt dat je Jessica weer bij me hebt gebracht, Tess,' fluisterde Hanneke vervolgens. 'En ook voor je steun in deze moeilijke dagen.'

'Je bent mijn beste vriendin, Hanneke.'

Tessa moest aan die woorden denken toen ze na middernacht haar auto weer parkeerde achter het appartementencomplex. Haar verjaardag was voorbij. Hanneke en Jessica hadden er niet bij stilgestaan dat ze jarig was. Nou ja, dankzij de goede vriendschap van jaren kon ze wel begrijpen dat de twee zusjes er niet meteen aan hadden gedacht. Hun hoofden hadden er niet naar gestaan. Haar ouders hadden tijdens de lunchpauze vanmiddag al gebeld om haar te feliciteren. Van Jacco, Nicolien en de jongens had ze een mooie felicitatiekaart gehad. Maar van Stefan had ze vandaag niets gehoord, terwijl hij toch wist dat het haar verjaardag was. Misschien was hij nog steeds beledigd dat ze de voorkeur had gegeven aan een afspraak met Hanneke en Jessica boven een etentje met hem. Ze nam zich voor hem morgen zelf op te bellen. Nu de relatie tussen Hanneke en Jessica weer goed was, moest ze Stefan wat meer prioriteit in haar leven gaan geven. Ze was haar vrijgezellenbestaan al zo lang beu.

Tessa knipte het licht aan in de woonkamer. Zoals altijd kwam ze ook nu alleen thuis. Ze hoopte dat er snel verandering in zou komen.

11

Aan de vooravond van haar vrije dagen toetste Tessa, met een hart dat bonsde van opwinding, het telefoonnummer van Stefan in. Ze vroeg zich ongeduldig af of hij zich nog steeds een beetje verwaarloosd voelde.

Zijn stem klonk dan ook als muziek in haar oren. Hij was duidelijk blij dat ze hem op eigen initiatief belde.

'Mag ik vanavond even bij je langskomen, Stefan?' vroeg ze meteen.

'Tja, kan je vriendin het weer zonder jouw hulp stellen, meisje?' plaagde hij.

'Het gaat wel weer met Hanneke,' antwoordde Tessa, niet helemaal naar waarheid. Haar gedachten gleden enkele momenten naar de situatie van Hanneke. Gisteravond had ze Hanneke nog gesproken. Hanneke vertelde dat ze bij Ben op bezoek was geweest en een gesprek met hem had gehad. Hanneke had Tessa laten weten dat ze geen prettig gesprek had gehad met Ben. Ze wilde er liever niet inhoudelijk op ingaan. Ze wist wel te vertellen dat de rechtszitting waarbij de rechter uitspraak zou doen, morgenvroeg om tien uur gepland stond.

'Ga jij daar morgen ook naar toe?' had ze voorzichtig aan Hanneke gevraagd.

'Ja, Ben verwacht dat ik erbij zal zijn.' Hannekes stem klonk hees van emotie. 'Maar ik zie er zo tegen op.'

'Zal ik met je meegaan, of ga je liever alleen?'

'Nee, ik wil er niet alleen heen. Ik ga liever samen met jou. Fijn, dat je zelf met dat voorstel komt. Pap en mam letten morgen op de kleintjes...'

Tessa scheurde zich onmiddellijk los van haar gedachten aan Hanneke toen ze Stefan opgewekt in haar oor hoorde zeggen: 'Kom dan maar snel hierheen.' Stefan had meteen weer haar volle aandacht.

Een uur later belde ze aan bij zijn woning. Toen Stefan haar na een liefdevolle zoen binnenliet, zag ze in één oogopslag overal in de gang en de huiskamer ingepakte verhuisdozen staan.

'Jij hebt hard gewerkt,' merkte ze verbaasd op. 'Wanneer ga je verhuizen?'

'Begin volgende week. Volgende week vrijdag vindt de overdracht plaats bij de notaris. Dan wil ik hier weg zijn.'

'Dat is snel. Heb je al nieuwe woonruimte?'

'Ik ga tijdelijk in een pensionnetje wonen. Zoals je weet, ben ik op zoek naar winkelruimte voor een modezaakje in een andere plaats. Helaas heb ik nog niets gevonden.'

Tessa wist even niets te zeggen. Stefan had van alles geregeld zonder haar er echt bij te betrekken. Dat kwam vast doordat ze de laatste twee weken helemaal in beslag genomen was door wat Hanneke had meegemaakt.

'Neem je alles mee? Ik bedoel, kun je deze meubels allemaal kwijt in dat pension?'

'O, nee. Voorlopig wordt alles opgeslagen. Ik heb een vriend die daar de nodige bergruimte voor heeft.' Stefan kwam naast haar staan en sloeg een arm om haar heen. 'Laten we het niet langer over mijn verhuizing hebben. Hier, ik heb nog iets voor je verjaardag.'

Tessa zag dat hij een klein pakje in zijn hand hield. Er verscheen een blos op haar wangen toen ze het van hem aannam. Voorzichtig peuterde ze het cadeaupapier eraf en opende ze het kleine fluwelen doosje dat erin zat. Haar hart klopte wild toen ze naar de fonkelende gouden ring met briljantjes keek die bij het openen van het doosje verscheen. Daarna blikten haar ogen opnieuw naar Stefan.

'Oh...' fluisterde ze ontdaan. 'Prachtig.'

Stefan nam voorzichtig de ring uit het doosje en pakte haar rechterhand vast. Met een teder gebaar schoof hij de ring aan haar vinger. Hij paste precies. 'Alsjeblieft, liefje. Alsnog gefeliciteerd met je verjaardag.'

Er sprongen tranen in de ogen van Tessa. Ze betekende vast erg veel voor hem. Anders had hij haar deze kostbare ring niet cadeau gegeven.

'Ik weet niet zo goed wat ik moet zeggen,' zei ze, in verlegenheid gebracht door het liefdevolle gebaar.

'Je bent me erg dierbaar, Tessa. Dat wil ik je met deze ring duidelijk maken.' Stefans gezicht was ineens dichtbij. Hij kuste haar en sprak woorden die nog geen enkele andere man tegen haar had gesproken.

Tessa sloeg haar beide armen om zijn nek en beantwoordde zijn kus. 'Ik dacht dat je jezelf achtergesteld voelde, omdat ik zo veel tijd aan mijn vriendin besteedde,' fluisterde ze daarna in zijn oor.

'Dat is ook zo,' grinnikte Stefan. 'Maar dat heb ik je vergeven, liefje.' Hij kuste haar opnieuw. Daarna duwde hij haar een stukje van zich af. 'Ik wil je nog beter leren kennen, Tessa. Wat zullen je ouders van mij vinden?'

De ogen van Tessa lichtten op. 'Mijn ouders? Nou, die zullen opkijken en het een beetje moeilijk vinden dat je al een huwelijk achter de rug hebt,' antwoordde ze eerlijk.

'Ai, dat spijt me.'

'Maar maak je niet bezorgd. Je ex is toch vreemdgegaan? Als ze dat weten, zullen mijn ouders je heus wel accepteren en blij voor me zijn, hoor.'

'Gelukkig. Misschien wordt het dan tijd voor een kennismaking. Ze wonen ergens op het platteland, heb ik begrepen. Klopt dat?'

'Ja, ze wonen inderdaad op het platteland. In de buurt van Almkerk. Mijn ouders hadden vroeger een agrarisch bedrijf. Ze wonen nog steeds op de boerderij die bij het bedrijf hoort. 'De wijde blik', zo heet het huis. Daar ben ik opgegroeid. Wacht, ik bel mijn moeder en maak meteen een afspraak.'

Tessa graaide in haar tas naar haar mobiele telefoon. Stefan wilde er blijkbaar werk van maken, en de relatie die ze samen aangegaan waren, niet langer verborgen houden voor de buitenwereld. De ring glinsterde veelbelovend aan haar vinger. Er was een eind gekomen aan haar leven als vrijgezel. Dat liet Stefan duidelijk merken. Hij maakte haar intens gelukkig.

'Volgende week zaterdagmiddag,' fluisterde Stefan haar toe.

'Vraag of het volgende week zaterdag kan. Op mijn eerste vrije zaterdag sinds jaren wil ik graag met je ouders kennismaken.'

Tessa kreeg contact met haar moeder. Na het uitwisselen van de normale vragen en antwoorden vertelde Tessa dat ze een vriend had die ze graag aan hen wilde voorstellen. Moeder reageerde wel een beetje terughoudend, maar Tessa was ervan overtuigd dat Stefan een heel goede indruk op haar ouders zou maken. In ieder geval hoefden de oudjes zich geen zorgen meer te maken over haar vrijgezellenstatus. Vanaf nu hoorde ze echt bij iemand. Bij Stefan Merkelbach. Ze verbrak de verbinding en knikte hem toe. 'Volgende week zaterdagmiddag is afgesproken. Mijn ouders willen je dan graag ontmoeten. Mijn broer en schoonzus zullen er ook zijn met hun twee jongens. Ze vieren die zaterdagmiddag ook meteen mijn verjaardag. Dat is er nog niet van gekomen doordat ik steeds druk bezig was met mijn werk en met Hanneke.'

Er verscheen een genoegzaam lachje om Stefans mond.

Tessa kreeg de indruk dat de kennismaking met haar ouders en de rest van de familie erg belangrijk voor hem moest zijn.

'Ik kijk ernaar uit,' zei Stefan. 'Mijn ouders zijn al lang geleden overleden. Het familieleven is voor mij heel waardevol.'

'Mijn ouders zullen je vast en zeker in hun hart sluiten, Stefan,' zei Tessa vol overtuiging. Wat had ze het toch getroffen met een vriend als Stefan Merkelbach.

Hanneke had de grauwheid van haar gezicht een beetje gecamoufleerd met make-up. Maar de wanhopige blik die in haar ogen lag, sprak boekdelen. 'Ik ben zo zenuwachtig,' had ze al een paar keer gezucht.

Tessa reed naar het gerechtsgebouw, waar de rechter over een uur het vonnis over de strafbare feiten van Ben zou uitspreken. Af en toe wierp ze zijdelings een blik op de nieuwe ring aan haar vinger. Haar rechterhand lag potsierlijk op het stuur. De briljantjes glinsterden. Het was Hanneke nog niet opgevallen. En Tessa hield wijselijk haar mond. Hanneke leefde al vanaf het moment dat Ben gearresteerd was, in haar eigen verdrietige wereld. Ze was niet in staat zich op andere zaken te concentreren. Haar leven was compleet ingestort. Tessa vreesde voor erger. Ze had Hanneke nog niet eerder zo depressief meegemaakt. Daarom kon ze haar het blijde nieuws over de relatie met Stefan niet zomaar spontaan vertellen. Dat kwam nog wel, op een geschikt moment later op de dag. Ze wilde eerst de uitspraak van de rechter aanhoren.

In het gerechtsgebouw was het rumoerig en druk. Verslaggevers en fotografen hadden zich verzameld voor de deur van een grote zaal. De receptionist verwees Hanneke en Tessa echter naar de eerste verdieping, waar de zaak-Jongsma zou voorkomen. Dat was een opluchting voor Hanneke. Ze huiverde voor iedere vorm van publiciteit. Ze werden verwezen naar een kleine zaal, waar ze plaatsnamen op gereserveerde stoelen. Toen Ben verscheen naast zijn advocaat, onder begeleiding van een politieagent, klonk er een zachte ingehouden snik. Tessa kneep in de hand van Hanneke, die haar snik met een zakdoek smoorde. Ben zag er netjes uit in zijn kostuum, en hij maakte een rustige indruk. Van de buitenkant zag hij er zo onschuldig uit als een kleine baby. Het was nog nauwelijks te bevatten dat Ben tot deze afschuwelijke aanrandingen in staat was geweest. Karin Paans, Lindsay Visser en enkele collega's van de zaak waar hij werkte, hadden daarvan aangifte gedaan. Jessica had geen officiële aangifte gedaan, en ze was ook niet gehoord door de politie. Haar verhaal telde bij deze rechtszitting niet mee. Tessa besefte dat haar eigen verklaring ook niet in het voordeel van Ben zou zijn. Haar verklaring steunde slechts de aangifte die Lindsay had gedaan.

Een vrouw van middelbare leeftijd in toga verscheen met twee heren die aan weerszijden van haar plaatsnamen. De aanklacht tegen Ben werd uitgesproken. De officier van justitie begon meteen met een keiharde beschuldiging. Daarna hield de advocaat van Ben een pleidooi, waarin hij aan het eind pleitte voor vrijspraak. Na alles aangehoord te hebben verdween de rechter een halfuur voor overleg. Daarna keerde ze terug in de rechtszaal en richtte ze zich tot Ben en zijn advocaat. Haar uitspraak was kort, maar klonk ernstig. Ze eiste dat Ben Jongsma drie maanden in verzekerde bewaring werd gesteld, met vermindering van voorarrest. Verder sprak de rechter van een schadevergoeding voor de slachtoffers. Ben draaide zich om. Hij zocht met zijn ogen naar Hanneke. Maar die wendde haar blik af. Ze wilde niet dat Ben de tranen in haar ogen zou zien. Toen de vrouw in toga met haar gevolg weer door een deur verdween, stonden ze op. Een politieagent nam Ben bij zijn arm en leidde hem weg. De advocaat van Ben liep daarna langzaam naar hen toe.

'Het spijt me dat het zo gelopen is. Ik was er al bang voor. Uw man heeft het niet getroffen met deze rechter. Ik denk dat een hoger beroep niet veel meer zal opleveren. Met de vermindering van voorarrest en goed gedrag komt uw man over ongeveer zes weken weer op vrije voeten.'

'Dank u,' fluisterde Hanneke. 'Kan ik mijn man nog even spreken?'

De advocaat schudde zijn hoofd. 'Uw man is zojuist door de politie afgevoerd naar het huis van bewaring. Daar kunt u terecht voor een bezoek. Als u wilt, kan ik u er nu heen brengen. Ik wil uw man ook graag zo snel mogelijk spreken over het vonnis. Het lijkt me een goed idee dat u daarbij aanwezig bent.'

Hanneke keek Tessa vragend aan. 'Kun jij me vanmiddag daar halen, nadat ik Ben heb gesproken?'

Tessa en Hanneke spraken samen af dat Hanneke zou bellen wanneer ze klaar was. Daarna liep Hanneke met de advocaat naar buiten.

Tessa keek op haar horloge en vroeg zich af wat ze in de tussenliggende tijd kon doen. Het was nog vroeg. De komende uurtjes moest ze zich alleen zien te vermaken.

Ze kocht tussen de middag een broodje gezond en een kop thee. Het was niet druk in het centrum. Verveeld drentelde ze even later langs de winkels. De tijd verstreek langzaam. Haar gedachten waren onophoudelijk bij de het vonnis. Ze vroeg zich af wat Hanneke en Ben samen te bespreken hadden. Hanneke had al enkele malen gedreigd met echtscheiding, en tot dusver had Tessa niet gehoord dat ze stappen in die richting had ondernomen. Het was zo goed als zeker dat Ben zijn ontslag aangezegd zou krijgen en na zijn detentie zonder werk zou komen te zitten. Drie collega's hadden ook aangifte gedaan, nadat bekend was geworden dat Ben zich schuldig had gemaakt aan de aanranding van twee andere vrouwen. Zijn werkgever had het bij de desbetreffende instanties voor elkaar gekregen hem daarvoor te ontslaan. Een toekomst met veel maatschappelijke problemen doemde op aan de horizon van Hanneke, Ben en hun kindertjes. Geen rooskleurig vooruitzicht, concludeerde Tessa. En een echtscheiding zou nog meer kapotmaken voor de kinderen. Hoe triest het er voor Hanneke en haar gezinnetje ook uitzag, Tessa voelde ook veel compassie met de slachtoffers. Ze dacht aan Jessica en aan het meisje dat ze nog had bezocht in haar flatje. De naam Lindsay flitste door haar gedachten. Dat mooie, blonde, jonge meisje, met wie ze een openhartig gesprek had gehad. Ze bleef stilstaan voor een modezaak. De etalage hing vol afgeprijsde zomerkleding, waarvoor ze geen enkele belangstelling kon opbrengen. Een blik op haar horloge gaf de doorslag. Lindsay woonde nog geen tien kilometer verderop. Tessa besloot meteen van de gelegenheid gebruik te maken en Lindsay nog een keer op te zoeken. Dat had ze al veel eerder willen doen, maar door de bekentenis van Jessica was het er niet van gekomen. Hoe dichter ze bij Lindsay in de buurt kwam, des te nerveuzer werd ze. Per slot van rekening had ze de situatie met Ben destijds helemaal verkeerd ingeschat. Dezelfde dag nog had Ben zich aan het jonge meisje vergrepen. De mogelijkheid was aanwezig dat ze deze keer niet welkom zou zijn bij Lindsay Visser.

Toen Tessa bij de studentenflat aankwam, kon ze zo naar binnen lopen. Een huismeester dweilde de hal en knikte haar met gefronste wenkbrauwen toe. 'Tja, die zogenaamde studenten maken er wel een zootje van, zeg. Braaksel in de hoek...' mopperde de huismeester. Hij schudde meewarig zijn hoofd. 'En dat mag Freddie dan allemaal weer opruimen...'

De rest van zijn klaagzang verstond Tessa niet. Ze liep de trap op en belde aan de voordeur van Lindsay. Ze hoopte dat het meisje thuis zou zijn.

Lindsay maakte de deur open. De blonde haren waren bij-eengebonden in een staartje. Het stond haar leuk, maakte haar nog jonger. 'Ben jij het?' Lindsay keek haar bedenkelijk aan. In haar ogen verscheen een spottende blik.

'Kan ik je even spreken?'

Lindsay zei niets, draaide zich om en liep naar de kamer.

Tessa deed de voordeur achter zich dicht en volgde haar. In de kamer hing een verstikkende walm van sigarettenlucht. Tessa ging tegenover Lindsay zitten.

Het meisje trok een nieuwe sigaret uit een vol pakje. 'Ook een sigaret?' bood ze onwillig aan.

'Nee, dank je. Ik ben hiernaartoe gekomen om je mijn ver-ontschuldigingen aan te bieden. De laatste keer dat ik hier was, had ik er geen idee van dat de situatie met Ben Jongsma zo uit de hand zou lopen. Dat jij daar het slachtoffer van bent geworden, vind ik heel erg.'

'Je verontschuldigingen? Daar ben je dan wel erg laat mee,' antwoordde Lindsay nors. 'Maar Ben Jongsma heeft uiteinde-lijk wel gekregen wat hij verdiende. Hij zit nog steeds vast, hè? Mijn advocaat heeft tussen de middag gebeld om dat door te geven. Ik had er geen behoefte aan bij die rechtszitting aan-wezig te zijn. Het andere slachtoffer was er overigens ook niet, heb ik begrepen.'

'Klopt. Dat is ook begrijpelijk, Lindsay. Ik heb vanmorgen zijn vonnis wel aangehoord. Ben heeft drie maanden gevange-nisstraf met vermindering van voorarrest gekregen. Verder krijgen jij en de andere slachtoffers nog een schadevergoe-ding, die hij op korte termijn moet betalen.'

Lindsays ogen lichtten verwachtingsvol op. 'Nou, dan be-staat er toch nog enige vorm van gerechtigheid.'

'Heeft Slachtofferhulp nog iets voor je kunnen betekenen?' informeerde Tessa.

Lindsay haalde haar schouders op en blies de geïnhaleerde

rook uit. 'Ik ben uiteraard vreselijk geschrokken toen ik besefte dat Ben het weer op me voorzien had die bewuste avond, maar ik heb me goed kunnen verdedigen.' Lindsay lachte ineens luid. 'Van mijn twaalfde tot mijn achttiende heb ik op judo gezeten. Ik heb me die avond dus prima kunnen verdedigen. En bij Slachtofferhulp heb ik een goed gesprek gehad. Dat zijn aardige, behulpzame mensen. Ik mag ze altijd bellen.'

'Dat is fijn voor je,' zei Tessa opgelucht. 'Ik ben blij dat je het er zo goed van af hebt gebracht. Hoe gaat het nu? Ik kan me voorstellen dat de schrik er nog goed in zit bij je.'

'Ach, ik... ik...' stotterde Lindsay terwijl ze een volgende sigaret uit het pakje plukte. 'Weet je wat ik zo erg vind?' Ze hield de vlam van een aansteker tegen de sigaret. Ze inhaleerde en kneep haar ogen dicht toen ze de rook uitblies.

Tessa wachtte geduldig totdat Lindsay verder sprak.

'Dat alles anders is geworden bij het waterpoloteam,' zuchtte het meisje uiteindelijk, en ze speelde met haar brandende sigaret. Haar vingers trilden. 'Ben was erg goed in teamsport. Hij gleed altijd als een dolfijn door het water. Ben zorgde ook meestal voor de overwinning, want hij wist een wedstrijd meestal helemaal naar zijn hand te zetten. Ik ken hem sinds twee jaar. Maar de laatste maanden veranderde zijn gedrag. Hij maakte steeds vaker seksistische opmerkingen en werd handtastelijk. Ik kreeg een hekel aan hem, maar vóór die tijd vond ik hem best aardig. En nu... nu verliest het waterpoloteam keer op keer... Ik heb het vermoeden dat de spelers mij erop aankijken. Alsof ik het allemaal met opzet uitgelokt heb. Ik voel me dan zo schuldig. Per slot van rekening heb *ik* die aangifte gedaan.' Lindsay zweeg. Ze liet haar hoofd plotseling op tafel zakken en huilde met gierende uithalen.

Tessa trok de sigaret uit de vingers van Lindsay en duwde die in de asbak. Daarna nam ze Lindsays hand vast. Het meisje zat vol onverwerkte emoties; dat was duidelijk. Ook al had ze zich die noodlottige avond nog zo goed weten te verdedigen. Een luisterend oor was alles wat Tessa op dit moment te bieden had. Maar het was genoeg.

Lindsay praatte alles van zich af, en dat luchtte op.

Een halfuur later ging Tessa's mobieltje. Ze sprak een tijdstip af om Hanneke te halen.

Lindsay liet Tessa maar met moeite gaan.

Nadat ze het meisje had beloofd snel nog een keer te komen, verliet Tessa het flatje.

Lindsay zwaaide vanachter het raam.

Tessa wist dat het over niet al te lange tijd weer goed zou komen met Lindsay. Ze had zich op een effectieve manier kunnen verdedigen, en dat was haar redding geweest. Voor het eerste slachtoffer, Karin Paans, zou de verwerking heel wat langer duren. Dan liep Ben Jongsma allang weer op vrije voeten rond. Nee, sommige dingen waren niet eerlijk in dit land.

Hanneke wilde nog niet naar het bungalowpark terug. Ze wees naar een parkeerterrein achter het benzinestation waar Tessa op de terugweg had getankt. 'Ik wil eerst met jou praten voordat ik pap en mam inlicht,' zei ze.

Tessa kocht in het winkeltje van het tankstation waar ze de benzine afrekende, voor alle twee meteen een blikje cola en een reep chocolade.

Vanaf het moment dat Hanneke in haar auto was gestapt bij het huis van bewaring, had ze nauwelijks iets gezegd en was ze steeds voor zich uit blijven staren. 'Ben wil na zijn gevangenisstraf gewoon weer thuiskomen, alsof er niets ernstigs is gebeurd. Hij wil geen echtscheiding,' waren de eerste woorden van Hanneke toen Tessa haar het blikje cola en de reep gaf. 'Daar had hij het eerder ook al over, tijdens mijn bezoek aan hem. Hij hoopte toen nog op vrijspraak. Behoorlijk arrogant, vind je niet? Hopen op vrijspraak, terwijl je al die misdrijven op je geweten hebt?' Hanneke klonk bitter.

Tessa zweeg. Ze wist niet goed wat ze moest zeggen.

'Ben wil graag deskundige hulp,' ging Hanneke verder. 'Alsof dat de oplossing is, en we de afschuwelijke aanrandingen die hij gepleegd heeft, daarna zomaar kunnen vergeten.'

Het verkeer van de snelweg zoefde onophoudelijk langs de

parkeerplaats. Het was een tijdje het enige geluid dat ze hoorden.

'En jij, Hanneke? Kun jij daar vrede mee hebben?' Tessa verbrak de stilte. Het was moeilijk op dit moment een adviserend antwoord te geven. Wat wilde Hanneke zelf in deze benarde situatie? Hoe stond ze er zelf op dit moment in.

'Nee,' fluisterde Hanneke hees. 'O nee. Vanwege Jessica weet ik nu al dat het geen zin heeft. Weet je, Tessa, toen ik Ben confronteerde met hetgeen hij Jessica heeft aangedaan, werd hij zo kwaad dat een gevangenisbewaarder hem moest kalmeren. Anders... anders... had hij mij geslagen. Hij zei dat Jessica alles gelogen had. Alles...' Hanneke keek haar indringend aan, met ogen die zwommen in tranen. 'Ben is... Ben niet meer. Hij is niet langer de man die ik liefhad en met wie ik trouwde. Ik weet niet wat er met hem is gebeurd, maar ik kan dit de kinderen, Jessica en mezelf niet aandoen. Het vertrouwen dat ik in hem had, is helemaal weg. Stel je voor dat hij later in herhaling valt.'

'Misschien moet je er toch nog eens goed over nadenken, Hanneke.'

Maar Hanneke schudde haar hoofd. 'Ik wil er niet meer over nadenken. Ik ga definitief weg bij Ben. Dat heb ik hem ook verteld. Als hij nu toegaf dat Jessica de waarheid had verteld, dan... dan had ik misschien nog een sprankje hoop op verbetering gehad. Zijn reactie heeft dat kleine beetje hoop vanmiddag voorgoed om zeep geholpen. Morgen ga ik alles regelen bij een advocaat. Daarna schakel ik een makelaar in om ons huis te verkopen. Je begrijpt natuurlijk wel dat ik in dat huis niet verder wil leven met de smaad en de laster waarmee Ben mij en de kinderen opgezadeld heeft.'

'O, Hanneke...' Tessa legde een hand op haar schouder. Het antwoord van Hanneke klonk zelfverzekerd. Ze wist precies wat ze wilde en ze twijfelde niet. Diep in haar hart kon Tessa het allemaal goed begrijpen. Ze had er ook een hard hoofd in als Ben niet wilde toegeven dat hij Jessica schandalig had behandeld.

'Breng me nu maar naar het bungalowpark, Tessa. Ik wil graag naar de kinderen.'

Tessa startte haar auto, en zwijgend reden ze naar het bungalowpark. Daar was het een vrolijke boel. Tante Sjaantje en oom Herman waren met Kim en Niek naar het nabijgelegen speeltuintje gegaan. De beide kinderen zaten op een schommel, terwijl Thijs lag te slapen in zijn kinderwagen. De warme stralen van de zon schenen op zijn mollige beentjes. Toen Tessa er met haar auto langs reed, zagen ze het tafereeltje.

Hanneke stapte meteen uit, liep naar de schommels en omhelsde Kim en Niek geëmotioneerd.

Tante Sjaantje liep lachend in de richting van de auto van Tessa.

'We hebben een heerlijke dag met onze kleinkinderen, Tessa,' stak ze meteen van wal. 'Herman en ik zijn zo benieuwd naar wat Hanneke ons te vertellen heeft over de zitting. Maar voordat het zover is, wil ik je eerst nog feliciteren met je verjaardag. In de bungalow staat een bos bloemen voor je. Ook namens Hanneke. Volgens mij heeft ze er ook niet meer aan gedacht, terwijl ze toch altijd zo stipt is. Neem het haar alsjeblieft niet kwalijk. Wanneer deze hectische periode voorbij is, moeten jullie samen maar eens een dagje gaan winkelen en ter ere van je verjaardag nog een hapje gaan eten.'

Tessa glimlachte. 'Dank u wel, tante Sjaan,' zei ze hartelijk. 'Dat zullen we zeker doen.'

De ogen van tante Sjaan vielen op haar hand, waar de mooie ring aan haar vinger fonkelde.

'Kind toch. Wat een mooie ring. Die heb je vast van een speciaal iemand gekregen. Klopt dat?'

Er vloog een blos naar Tessa's wangen. 'Ja, ik heb deze ring van een speciale vriend gekregen.'

'Een speciale vriend, zeg je? Wat romantisch.' Tante Sjaan wreef met haar vinger over de kleine briljantjes. 'Is er dan eindelijk een man in je leven gekomen met wie je het aandurft?'

'Ja,' antwoordde Tessa zelfverzekerd. 'Hij heet Stefan Merkelbach, en ik denk dat er wel een toekomst in zit voor ons samen. We moeten elkaar nog wat beter leren kennen, maar wat ik van hem ken, daar houd ik al van.'

'Je ouders zullen vast blij zijn,' stelde tante Sjaan meteen vast. 'Als ouder ben je namelijk pas gerustgesteld als je kind op de plaats van bestemming is terechtgekomen.'

De gedachten van Tessa flitsten naar haar ouders. Volgende week zaterdag zouden ze kennismaken met Stefan. Ze probeerde zich voor te stellen dat haar ouders hem als de ideale schoonzoon zouden verwelkomen.

'Ik moet het Hanneke nog vertellen,' zei ze afwezig. 'Ik heb het haar nog niet verteld. Ze heeft momenteel te veel narigheid aan haar hoofd.'

Ze keken samen naar Hanneke, die Thijs uit zijn kinderwagen nam en hem huilend tegen haar schouders duwde.

'Ach...' zei tante Sjaan meteen, en ze liep bij Tessa vandaan. 'Waarom huil je, kind? Kom, we gaan naar het bungalowtje. Dan kun je ons vertellen wat je dwarszit.' Tante Sjaan sloeg een arm om de schouders van Hanneke.

Tessa parkeerde haar auto en stapte met een bezwaard gevoel uit. Soms gingen blijdschap en verdriet hand in hand, zoals nu. Ze voelde zich gelukkig en blij met Stefan, maar de nare gebeurtenissen en het verdriet van Hanneke overschaduwden op dit moment alles.

Het werd een broeierige avond, met een emotionele ontlading. Terwijl Tessa zich over de kleintjes ontfermde, kon Hanneke het verhaal over de zitting aan haar ouders vertellen. Daarna aten ze met z'n allen een bord nasi goreng met satésaus en kroepoek. Kim en Niek zaten te smullen van de pindasaus, terwijl Hanneke nauwelijks enkele happen door haar keel kreeg. Tante Sjaan en oom Herman hadden zichtbaar moeite met de straf die Ben opgelegd had gekregen. Ze vonden het vreselijk voor de kinderen. Tante Sjaan schudde herhaaldelijk haar hoofd, alsof ze het maar niet kon geloven.

Nadat de kinderen door Hanneke naar bed waren gebracht, vervolgde ze het gesprek met haar ouders. Ze bracht hen nu ook op de hoogte van haar definitieve beslissing echtscheiding aan te vragen. Het werd snel duidelijk dat beide ouders daar niet meteen gelukkig mee waren.

'Kun je Ben dan geen nieuwe kans geven, Hanneke? Denk daarbij ook aan Kim, Niek en Thijs,' probeerde oom Herman haar op andere gedachten te brengen.

'Pa, ma, het spijt me... Ik kan niet anders...' Hevig geëmotioneerd vertelde Hanneke daarna wat Ben de laatste maanden ook had aangericht bij Jessica. Tot op dat moment had ze dit vreselijke bericht steeds verzwegen voor haar ouders. Ze had hen er al die tijd niet bij willen betrekken omdat ze wist dat het erg pijnlijk voor hen zou zijn. Maar nu, in deze omstandigheden, kon ze niet langer zwijgen. Alles kwam op tafel, zoals het verwaterde contact, Jessica's angst niet geloofd te worden, de hulp van Tessa. Hanneke liet niets achterwege. Ze besloot haar verhaal met de ontkenning van Ben. 'Het is zijn woord tegenover dat van Jessica, zei hij vanmiddag. Hij werd razend toen ik hem vertelde dat ik Jessica op haar woord geloofde.'

Na deze onthulling hadden de ouders van Hanneke meer begrip voor haar beslissing echtscheiding aan te vragen. Ben had misbruik gemaakt van de meest kwetsbare persoon binnen hun gezin: Jessica. Dat was bijzonder schokkend.

Terneergeslagen vertrokken de ouders van Hanneke naar huis.

Tessa bleef nog een uurtje bij Hanneke, die erg opgelucht was na deze dag. Toen maakte ook Tessa aanstalten om naar haar appartementje te vertrekken. Ze nam de mooie bos bloemen mee die in het keukentje in een emmer water stond. Hanneke verontschuldigde zich voor haar vergeetachtigheid. 'Ik heb helemaal niet meer aan je verjaardag gedacht, Tess. Het spijt me. Wat ben ik toch een slechte vriendin. Maar ik maak het binnenkort goed met je; dat beloof ik.'

'Over niet al te lange tijd wil ik je voorstellen aan Stefan Merkelbach, mijn nieuwe vriend.' Tessa hield demonstratief haar hand omhoog en liet Hanneke de mooie ring zien.

'Vriend? Is het zo serieus tussen jullie? Wat een verrassing.'

Tessa knikte. Terwijl ze de bos bloemen in haar arm gekneld hield, zocht haar andere hand naar de autosleutels in haar handtasje.

'Mooie ring, hoor. Ik ben wel benieuwd naar die Stefan van jou,' zei Hanneke. 'Laat me niet te lang in spanning zitten.'

'Zeg jij maar wanneer je eraan toe bent; dan maken we een afspraak. Je krijgt nog zo veel te verwerken de komende tijd,' antwoordde Tessa aarzelend. 'Ik vind het zo rot dat ik juist in deze periode iemand heb leren kennen. Ik durf bijna niet blij te zijn.'

'Onzin. Dat jij gelukkig bent, betekent op dit moment heel veel voor me, Tess. Dat verdien je. Ik ben hartstikke blij voor Stefan en jou. Ik hoop dat jullie samen heel gelukkig zullen worden.'

'Dank je.' Tessa omhelsde Hanneke. In kwade én in goede momenten hadden ze elkaar altijd gesteund.

Op echte vriendschap kon je bouwen, besefte Tessa toen ze naar Breda reed. Er gleed een glimlach om haar mond toen ze aan Stefan en hun gezamenlijke toekomst dacht.

12

André ontving twee collega's van het regionale korps op zijn kantoor: Theo en Maarten, allebei rechercheur. Ze waren nog jong, ambitieus en altijd in burger. André zag er zelf onberispelijk uit in zijn politie-uniform. Hij was een half-uur geleden op de hoogte gebracht van hun komst. Ze wilden hem dringend spreken, werd erbij gezegd.

André liet de receptioniste koffie halen en ging tegenover hen zitten.

'Wat is er zo dringend?' informeerde hij meteen.

'De illegale verkoop van diamanten,' antwoordde Theo. 'We hebben in uw opdracht regionaal en landelijk het criminele wereldje onder de loep genomen voor zover dat uiteraard mogelijk is. Maar we zijn daarbij geen transacties met diamanten tegengekomen. Onze tipgevers wisten te melden dat onderhandelaars nog steeds erg voorzichtig zijn na die roofoverval bij Merkelbach. Het duurt nog wel even. Het risico is te groot.'

'Verdraaid,' foeterde André teleurgesteld. Had Merkelbach dan toch niets op zijn kerfstok? Had zijn intuïtie hem dan van het begin af aan op het verkeerde been gezet? Hij stond op en wilde naar het raam lopen dat op de geparkeerde auto's van zijn personeel uitkeek.

'We hebben overal goed gezocht, chef,' zei Maarten haastig, zodat André abrupt stilstond en zich weer in zijn stoel liet zakken. 'We kregen gisteren een tip van een internationaal contact. Er is in België afgelopen week wel een partij diamanten illegaal verkocht. Daarbij is een auto met een Nederlands kenteken gesignaleerd. Men sluit niet uit dat hier de geroofde diamanten van de juwelierszaak van Merkelbach zijn verhandeld.'

'Waar?' vroeg André onmiddellijk.

'In de haven in Antwerpen. Toen de plaatselijke agenten arriveerden, was het kostbare handeltje al verdeeld en in het criminele circuit verdwenen. Uiteindelijk zijn er geen bewijzen gevonden en geen mensen gearresteerd. Men tast volkomen in het duister.'

'Nou, nou. Wat een blunder,' zuchtte André, en hij schudde verslagen zijn hoofd. 'En de daders? Zijn die nog spoorloos.'

'Ja, helaas. De collega's hebben hen uit het oog verloren. Maar we hebben wel een waardevolle tip gekregen: het kenteken van die Nederlandse auto.' Er lag een grijns op Theo's gezicht.

De ogen van André lichtten veelzeggend op. 'Aha... Ga verder.'

'Het gaat om een huurauto, afkomstig van een verhuurbedrijf hier in Breda. Een handelsonderneming heeft de auto al enkele weken in gebruik, en de bestuurder, ene J. van Dal, is volgens het verhuurbedrijf van plan de auto zaterdagavond op de parkeerplaats van Schiphol achter te laten. Het verhuurbedrijf zal de auto daar volgens afspraak halen. De chef van het politiekorps in Antwerpen heeft ons dringend verzocht erachteraan te gaan. Misschien kunnen we de zaak alsnog oplossen.'

'En wat kun je me vertellen over de heer Van Dal?'

'Een keurige, hardwerkende Nederlandse staatsburger. Meneer Van Dal huurt regelmatig op naam van zijn handelsonderneming een auto bij het verhuurbedrijf in Breda. Hij doet dat voor zakelijke reizen. De man heeft geen strafblad...' Maarten haalde zijn schouders op. 'Hoewel... er zijn in het verleden wel twee aanklachten van fraudegevoelige zaken tegen hem ingediend bij de politie. Maar bij gebrek aan bewijs heeft men van vervolging moeten afzien.'

André fronste zijn wenkbrauwen. 'Dat is tenminste iets!'

'Er zit wel een vreemd luchtje aan. De heer Van Dal rijdt namelijk ook nog rond in een privéauto. Vanmorgen is hij met zijn eigen auto naar die handelsonderneming gereden,' vulde Theo aan.

'Tja...' André wreef peinzend met een hand langs zijn baardje. Er verschenen enkele scenario's in zijn gedachten.

'Zullen we Van Dal voor verhoor oppakken, chef?' vroeg Theo, nadat hij zijn kopje koffie had leeggedronken.

161

André schudde meteen zijn hoofd. Dat was het allerlaatste wat hij nu wilde.

'Nee, voorlopig pakken we die man niet op. Daar is het nog te vroeg voor. Blijf Van Dal voorlopig maar volgen. Dan zullen we zien wat hij zaterdagavond op Schiphol van plan is.'

'Nou, dat lijkt mij wel duidelijk,' haastte Theo zich te zeggen. 'Die wil er natuurlijk het liefst zo snel mogelijk vandoor. De grens over, met veel geld, de opbrengst van de diamanten.'

André keek het tweetal tegenover hem met priemende ogen aan. 'Nee, dat denk ik niet,' peinsde hij. 'Anders was Van Dal allang weg geweest. We wachten rustig af voordat we ingrijpen.'

De twee rechercheurs stonden weer op. De informatie die ze dringend kwijt wilden, hadden ze overgebracht. Ze zouden Van Dal voorlopig niet uit het oog verliezen en pas ingrijpen wanneer ze toestemming kregen van de chef.

André bedankte de beide mannen voor hun komst naar het bureau en trok vervolgens het gesloten dossier van de zaak Merkelbach weer uit de kast. Misschien was er inderdaad een verband, zoals de Belgische politie suggereerde. Als alles meezat, kon hij de overvaller van de juwelierszaak binnenkort in zijn kraag grijpen. Dan zou de zaak-Merkelbach alsnog opgelost kunnen worden. Met of zonder de betrokkenheid van Stefan Merkelbach. André zou er snel genoeg achter komen.

Na een drukke werkweek zag Tessa uit naar het weekend. Ze had de afgelopen dagen samen met Ernst dienst gehad toen de onlusten tussen Somaliërs en Antillianen toch nog onverwacht uit de hand gelopen waren. Vijf gewelddadige arrestanten waren geboeid afgevoerd naar het politiebureau. Intussen was de rust in de desbetreffende wijk van de stad weer hersteld.

Vrijdagmiddag leverde Tessa haar vuurwapen in. Hoewel ze een geldige vergunning had, nam ze het wapen nooit mee naar huis. Ze leverde het dagelijks in, en haalde het voor aanvang van haar dienst altijd weer netjes op. Toen ze naar buiten wilde lopen, kwam ze André tegen.

'Ik ben je nog steeds een etentje schuldig. Heb je vanavond tijd, om een uur of acht?' vroeg hij haar op zo'n directe toon dat ze het hem onmogelijk kon weigeren. 'Ik trakteer je dan op een van mijn culinaire specialiteiten,' voegde hij er geheimzinnig aan toe.

Tessa keek hem lachend aan. Na het verjaardagsontbijt waarmee hij haar had verrast, hadden ze elkaar nauwelijks meer gesproken.

'Ja, dat is goed. Om acht uur, zei je?'

André knikte. 'Afgesproken. Tot straks.' Vervolgens liep hij zijn kantoor weer in, terwijl Tessa de autosleutels uit haar handtas tevoorschijn haalde en naar buiten liep.

Ze had vanavond geen afspraak met Stefan. Hij had haar gisteravond gezegd dat hij vandaag een heel drukke dag zou krijgen. Vanmiddag zou de verkoop van de winkel en het woonhuis afgehandeld worden bij de notaris. Tessa keek op haar horloge. Dat was intussen al gebeurd, zag ze. Daarna moest Stefan naar zijn nieuwe pension om allerlei andere zakelijke beslommeringen te regelen. Morgenmiddag zou ze hem weer zien. Hij zou haar komen halen om samen met hem naar 'De wijde blik' te gaan. Een beetje nerveus over de aanstaande kennismaking met haar ouders was ze wel. Ze had hen telefonisch al op de hoogte gebracht van de maatschappelijke status van Stefan, dat hij een echtscheiding achter de rug had. Een beetje voorbereiding kon in dit geval geen kwaad. Ze wist dat het onderwerp echtscheiding gevoelig lag bij haar ouders.

André serveerde die avond een heerlijke ovenschotel met salade en stokbrood. Tessa genoot van de maaltijd. 'Dit recept wil ik wel van je hebben,' zei ze, toen ze verzadigd en voldaan het bord van zich af schoof.

Daar wilde André niets van weten. 'Als je een keer zin hebt in mijn ovenschotel, laat het me dan maar weten. Ik maak hem met liefde voor je klaar,' plaagde hij.

Ze keek in zijn lachende ogen, die vervolgens naar haar hand gleden. 'Wat een schitterende ring. Heb je die van Merkelbach gekregen?'

Tessa knikte. Er vloog een rode blos naar haar wangen. 'Ja, een verjaardagscadeautje,' antwoordde ze.

'Het heeft iets weg van een vriendschapsring,' concludeerde André toen hij zag dat Merkelbach uiteindelijk voor witgoud had gekozen. 'Is Stefan soms een bijzondere vriend van je geworden? Ik bedoel... Is er sprake van een relatie?'

Tessa keek met een trotse blik naar de blinkende ring. 'Ja... Ik denk wel dat je dat mag zeggen,' antwoordde ze aarzelend. 'We moeten elkaar natuurlijk nog wel beter leren kennen, maar het begin is er. Morgenmiddag ontmoet hij mijn ouders... Dat vind ik erg spannend.'

André keek naar zijn lege bord en legde zijn vork en mes erop. 'Merkelbach zal vast zijn best doen om een goede indruk op je ouders te maken. Hij heeft je maatschappelijk en financieel veel te bieden. Die juwelierszaak heeft hem geen windeieren gelegd.' Hij had de woorden enigszins korzelig uitgesproken.

Tessa fronste haar wenkbrauwen. 'Ach, zoals je weet, is hij een tijdje geleden gescheiden. Mijn ouders hebben daar hun bedenkingen bij. Hun kerkelijke achtergrond speelt daarbij een grote rol.'

'Weet je eigenlijk waarom Stefan van zijn vrouw is gescheiden?'

'Ja, maar niet alle details, hoor. Zijn ex had diverse buitenechtelijke relaties. Stefan treft geen enkele blaam.'

'Weet je dat zij op dit moment nog steeds in Argentinië is? Volgens de inlichtingendienst heeft ze haar verblijfsvergunning laten verlengen.' André keek recht in haar ogen.

Tessa haalde haar schouders op. Ze moest hem het antwoord schuldig blijven. Stefan sprak niet graag over zijn ex-vrouw. Als ze iets in die richting aan hem vroeg, kreeg ze altijd een korte, ontwijkende reactie. Ze concludeerde daaruit dat hij liever niet aan Heleen herinnerd wilde worden. 'Heb je nog steeds belangstelling voor de Merkelbach-zaak, André? Het dossier is toch afgesloten?' vroeg ze. Ze hield even haar adem in. André had zijn bedenkingen gehad bij de roofoverval op de juwelierswinkel van Stefan. Het zou haar niets verbazen als de chef de zaak achter de schermen toch nog goed in de gaten hield.

'Nou, ik wil je eerlijkheidshalve zeggen dat ik het dossier deze week nog in mijn handen heb gehad. Ik vraag me gewoon af of jij van dit alles op de hoogte bent,' antwoordde André spelend met zijn vork.

'Je vertrouwt Stefan nog steeds niet, hè.' Tessa keek hem met een bedenkelijke blik aan. 'Heb je me daarom soms uitgenodigd? Om me uit te horen over zijn doen en laten?'

'Nee. Ik heb nog steeds een klein beetje hoop op de oplossing van die diamantroof. Daar is toch niets mis mee?'

Tessa sloeg haar ogen beschaamd neer. André was een top-agent. Hij verstond zijn vak en had een heel lange adem om criminele zaken op te lossen. Ze zuchtte diep, voordat ze antwoordde. 'Stefan heeft een flinke financiële genoegdoening van zijn verzekering ontvangen en de winkel heeft hij intussen ook verkocht, zoals je weet. Ik denk dat het hem nu niet veel meer uitmaakt of je de dader nog te pakken krijgt.' Het kon haar werkelijk niets schelen of Heleen nu wel of niet voor lange tijd in Argentinië zou blijven. Heleen was een deel van Stefans verleden, niet langer relevant voor hun gezamenlijke toekomst.

'En jij, Tessa? Hoop jij er nog steeds op dat ik de dader alsnog in de kraag zal grijpen?'

Tessa's ogen lichtten een moment verbaasd op. 'Dat zou ik natuurlijk fantastisch vinden, chef,' antwoordde ze enthousiast. 'Misdaad moet vroeg of laat bestraft worden. Zijn er soms ontwikkelingen in die richting?'

Ze zag André aarzelen toen hij zijn mond opende.

'Zolang er hoop is, wil ik me daaraan vasthouden,' antwoordde hij ontwijkend. Hij stond op en nam de beide borden weg van tafel. In de keuken liet hij zijn gedachten de vrije loop. Hij had graag met Tessa van gedachten willen wisselen over de zaak-Merkelbach. Hij had haar ook willen vertellen over het belangrijke nieuwtje dat de rechercheurs hem hadden meegedeeld over de Bredase man met zijn huurauto. Maar de kostbare ring aan Tessa's vinger weerhield hem ervan. Tessa zou de zaak-Merkelbach op dit ogenblik niet objectief kunnen bekijken. Dat kon ze in een eerder stadium ook al niet, en daar was tot op heden nog geen verandering in gekomen. Hij zag wel aan haar ogen dat ze behoorlijk verkikkerd was op die juwelier, de man die hij nog steeds niet vertrouwde. André had het graag anders gezien. Ze wist ook niets van zijn gevoelens voor haar. Daar mocht Tessa niets van merken. Vanmiddag, toen ze op het bureau bijna tegen hem aan liep, had hij het ineens heel zeker geweten. Zijn hart en verlangen gingen uit naar Tessa van Vliet. Nu ze zo gek was op Stefan Merkelbach, zou hij het haar nooit meer kunnen vertellen. Het was alsof er iets kostbaars door zijn vingers weggleed. André zuchtte diep. Hij pakte de ijstaart uit de vriezer, en uit de servieskast ijscoupes en lepels. Het was niet goed met Tessa over de Merkelbach-zaak verder te praten. Maar het betekende ook dat hij haar niet kon vragen of de heer Van Dal en Stefan Merkelbach misschien bekenden van elkaar waren. Tessa zou terecht heel kwaad worden als hij tegenover haar de betrokkenheid van Merkelbach bij de roofoverval weer onder de loep wilde nemen. Ze was nu eenmaal overtuigd van zijn onschuld.

André sneed mooie stukken ijstaart, deed er toefjes slagroom op en liep ermee naar de kamer, waar Tessa geduldig op hem zat te wachten.

'Wat een verwennerij,' riep ze verheugd uit.

André schoof de ijscoupe naar haar toe. 'Zullen we dan nu ook maar meteen een afspraak maken voor onze motorrit naar Den Haag?'

Ze keek hem gelaten aan. 'Tja, als we binnenkort samen nog eens een vrije dag krijgen, dan...'

'Ik heb al op de dienstlijst gekeken. Zaterdag over twee weken, dan kan het.'

'Het moet wel mooi weer zijn, André.'

'Oké. En voor een motorpak met een helm zorg ik ook.' Hij wist vrijwel zeker dat de rijkleding van Nienke haar perfect zou passen. Hij besefte meteen dat zijn gekwetste gevoelens voor Nienke nu definitief waren verdwenen. Het deed hem niets meer, wat er nog geen jaar geleden was gebeurd. Nienke kon op dit moment zelfs niet eens in de schaduw staan bij Tessa. Zijn ogen gleden over haar gezicht. Ze nam kleine hapjes van het ijs en genoot zichtbaar. Het vertederde hem, zoals ze daar nu zat te eten. Bij zijn eerste ontmoeting met haar was hij boos geweest vanwege de bekeuring die ze hem had gegeven. Nu hield hij van haar, maar kon hij het haar niet zeggen. André wist dat er een obstakel uit de weg geruimd moest worden voordat hij een poging kon doen om haar hart te bereiken. Dat obstakel was Stefan Merkelbach.

Tessa keek in de spiegel. Haar gezicht zag er een beetje wit uit. Ze was nerveus. Straks zou Stefan kennismaken met haar ouders. Er hing veel van deze kennismaking af. Ze zou het onverdraaglijk vinden als pap en mam geen goede indruk van hem zouden krijgen. Ze hoopte dat ze hem geen vragen zouden gaan stellen over zijn eerste huwelijk. Het besef dat haar ouders zuinig op haar waren en haar alleen aan de beste man wilden toevertrouwen, gaf haar bij voorbaat al het gevoel dat Stefan, wat dat betreft, niet snel een kans maakte. Gelukkig, dat Jacco en Nicolien met hun jongens vanmiddag eveneens van de partij zouden zijn. Die zouden het voor Stefan en haar opnemen; daar kon ze van op aan.

Tessa wreef met een poederkwast wat rouge op haar wangen, zodat het net was alsof ze blosjes had. Toen ze uit het raam naar de parkeerplaats keek, zag ze de donkerblauwe BMW van Stefan al naderen. Hij claxonneerde kort en gaf daarmee aan dat hij niet eerst naar boven wilde komen. Tessa pakte de bos bloemen die ze voor haar moeder had gekocht, hing haar schoudertas om haar schouder en verliet het appartement. Ze liet zich met de lift naar beneden brengen. Buiten keek ze ineens op naar het pension waar André woonde. Ze zag hem voor het raam staan. Hij stak zijn hand op bij wijze van groet. Ze lachte verrast. André was een man van verrassingen. Ze had gisteravond genoten van het etentje dat hij voor haar had gemaakt. Tot laat hadden ze samen nog over de situatie van Hanneke en Ben zitten bomen. Met André kon ze dat. Hij had een luisterend oor en veel begrip voor de ondersteuning die ze Hanneke en Jessica tot nu toe had gegeven. 'Zo'n goede vriendin als jij wil iedereen wel,' had hij complimenteus gezegd.

Stefan stond ineens bij haar, kuste haar voorhoofd en opende het portier. Hij reed zijn auto door het drukke verkeer de stad uit. Aan de rimpel in zijn voorhoofd zag Tessa dat hij ver weg was met zijn gedachten. Misschien zag hij ook wel op tegen een ontmoeting met haar ouders.

'Hoe was het gisteren bij de notaris, Stefan? Alles naar wens verlopen?'

Stefan draaide zijn gezicht naar haar toe. Om zijn lippen zag ze een kleine trilling. 'Alles is nu definitief afgerond. Gisteravond heb ik de laatste zakelijke besognes afgehandeld. Ik ben klaar voor een nieuwe start.'

Tessa glimlachte verrast. 'Wat gaat het worden? Een modewinkel, waar je je zinnen al een poosje op hebt gezet?'

'Ja, misschien wel,' zei hij aarzelend.

Tessa observeerde zijn gezicht, dat hij nu weer strak op de weg gericht hield. Het viel haar tegen dat hij het woordje 'misschien' gebruikte. Wist hij nu nog niet wat hij precies wilde? Een beetje vreemd vond ze dat wel.

'Een sportzaak vind ik ook wel aantrekkelijk,' hoorde ze hem vervolgens zeggen. 'Ik breng je om vijf uur terug naar Breda, Tessa. Of blijf jij liever wat langer bij je ouders? Ik moet vanavond nog wat dringende zaakjes regelen. Vanmorgen heb ik namelijk een aantrekkelijke aanbieding gehad om een bestaande sportzaak over te nemen.'

Tessa keek hem van opzij aan. Moeder had er bij voorbaat op gerekend dat Stefan en zij met hen zouden mee-eten.

'Wat jammer,' antwoordde ze, enigszins teleurgesteld. 'Tja, ik blijf toch liever wat langer bij mijn ouders. Ik ben al een poosje niet thuis geweest.'

'Hoe kom je vanavond dan in Breda?'

'Jacco brengt me wel thuis.'

'Sorry, Tessa. Volgende keer blijf ik langer. Maar ik moet nu eenmaal op korte termijn iets nieuws van de grond zien te krijgen om voor mijn kostwinning te zorgen.'

Daar had Tessa begrip voor. Ze kwam er langzaam maar zeker achter dat Stefan een bedrijvig baasje was, die nergens gras over liet groeien.

Stefan sloeg rechtsaf de polderweg op. Zijn autobanden raakten nog net de vette kleigrond, waar een laagje los grint op lag. Tessa hoorde het fijne grint opspatten tegen het zijportier. Stefan reed ook veel te hard. Zelf reed ze hier altijd langzaam om opspattende steenslag te voorkomen. Maar het kon Stefan blijkbaar niet schelen dat de glanzende lak van zijn donkerblauwe BMW beschadigd raakte. Met een gefronst voorhoofd reed hij met hoge snelheid over de geasfalteerde polderweg. In de verte zag Tessa 'De wijde blik' naderen.

'Daar wonen mijn ouders,' zei ze met gepaste trots. 'Je kunt je auto het erf op rijden.'

'Oké,' zuchtte Stefan, maar zijn ogen waren op iets anders gericht dan 'De wijde blik'. Tegenover het huis stond een auto aan de zijkant van de weg geparkeerd, met de motorkap open. Een man stond voorovergebogen naar het motorblok te kijken.

'Die heeft pech,' constateerde Stefan. 'Ik zet jou voor het huis van je ouders af. Dan kijk ik wel even of ik die kerel weer op weg kan helpen.'

'Goed,' zei Tessa. 'Als het je niet lukt die man te helpen, moet je de Wegenwacht maar bellen.'

'We zullen zien,' antwoordde Stefan. Hij stopte voor 'De wijde blik' en liet Tessa uitstappen. Vervolgens reed hij een klein stukje terug naar de overkant van de straat, waar de man met zijn auto langs de kant van de weg stond. Tessa werd intussen luidruchtig onthaald door Fikkie, die blij tegen haar opsprong. Vader kwam in zijn blauwe overal achter het huis vandaan. Hij hield een riek in zijn hand.

'Daar ben je dan,' zei hij. 'Ben je nu toch alleen gekomen?' Zijn stem klonk knorrig.

Tessa aaide Fikkie, die aan haar schoenen snuffelde.

'Dag, pa,' Tessa kuste haar vader vervolgens op zijn wang. 'Nee, Stefan komt zo. Daar staat iemand met pech onderweg. Stefan kijkt even of hij die man kan helpen.' Ze wees met haar hand naar de overkant van de polderweg.

Samen keken ze naar de auto van Stefan, die achter de gestrande auto parkeerde en uitstapte. Hij zei iets tegen de voorovergebogen man. De man richtte zich meteen op en draaide zich om naar Stefan. Er voer plotseling een schok door Tessa heen toen ze van een afstand het gezicht van de man zag. Het was niet het gezicht dat ze onmiddellijk herkende. Nee, het was iets anders. De man droeg een opvallende bril, met donkere randen om de glazen. Waar had ze een dergelijk montuur eerder gezien? Ze kon het zich niet meteen herinneren.

'Tessa, meisje, fijn dat jullie er zijn. Kom binnen.' Tessa draaide zich om en lachte afwezig naar haar moeder. Die leidde haar gedachten even af. Ze omhelsden elkaar een kort moment. Daarna overhandigde Tessa haar moeder de bos bloemen en liet ze zich mee naar binnen nemen, waar Jacco en Nicolien met de jongens op Stefan en haar zaten te wachten. Vader bleef nog buiten staan, met een peinzende blik op zijn aanstaande schoonzoon gericht, die de gestrande automobilist te hulp was geschoten.

Stefan was al enkele dagen zichzelf niet. De nervositeit nam met het uur toe. Hij had ook zo veel moeten regelen. En alles wat hij geregeld had, was voorgoed. Het woonhuis bij de juwelierszaak had hij helemaal leeggeruimd. De meubels waren met een opkoper meegegaan; hij had er een goede financiële genoegdoening voor gekregen. Wat kleine keukenartikelen waren naar een tweedehandswinkel gebracht, waar studenten regelmatig kwamen neuzen of er soms iets bij was van hun gading. Slechts een kleine hoeveelheid kleding had hij ingepakt om mee te nemen naar Argentinië. Hij had alles in een grote koffer gekregen, inclusief vier paar schoenen. Afgelopen vrijdag was de officiële akte van de verkoop van zijn juwelierszaak en het woonhuis bij de notaris gepasseerd. Een enorm bedrag, waarvan hij ook nog enkele onkosten moest betalen, had hij op de bank meteen laten overschrijven naar een rekeningnummer in Argentinië dat Heleen hem had doorgegeven. Het geld dat de verzekering hem had uitgekeerd, had hij diezelfde middag eveneens overgemaakt. De jongedame die hem bij de bankoverschrijvingen hielp, had hem een moment verbaasd aangekeken, toen hij de grote bedragen noemde. Hij ervoer een gevoel van intense opluchting toen de jongedame hem uiteindelijk vertelde dat de transacties een feit waren. Het geld was op weg naar Argentinië. Nu moest hij er zelf nog zien te komen. Hij was er in ieder geval klaar voor. Alleen het geld van de illegaal verkochte diamanten moest hij vandaag nog in ontvangst nemen.

Joop had hem vanmorgen al vroeg gebeld om hem van de laatste afspraken op de hoogte te brengen. 'Ik zorg voor pech onderweg in de buurt van 'De wijde blik'. Als jij me dan te hulp schiet, kan ik je het monopolyspel met inhoud overhandigen. Neem die doos als handbagage mee door de douane op Schiphol. Er zijn zo veel mensen die spelletjes meenemen aan boord van een vliegtuig dat er geen haan naar zal kraaien,' adviseerde Joop.

'En het geld... zorg je er wel voor dat het bedrag klopt, Joop? Je kunt van mij niet verwachten dat ik het bedrag op straat ga controleren.'

Joop lachte in zijn oor. 'Je kunt me vertrouwen, Stefan. Zoals afgesproken krijgen jij en ik een gelijk deel. Daar kun je van op aan.'

Nu zat hij in de auto, met Tessa naast zich op de passagiersstoel. Hij had in haar verwachtingsvolle gezicht gekeken toen ze instapte. Ze zou hem straks voorstellen aan haar ouders. Hij vond het een beetje jammer dat het allemaal van korte duur zou zijn. Maar hij moest deze act nu eenmaal doorspelen tot het einde van de middag. De onwetende agente Tessa van Vliet had niets in de gaten. Hij had handig misbruik gemaakt van haar ontluikende gevoelens voor hem. In haar ogen kon hij niets verkeerd doen. Dat had ervoor gezorgd dat Bontekoe hem verder met rust had gelaten. Tessa zou vanmiddag zijn alibi zijn, wanneer Joop hem met enkele autogereedschappen het monopolyspel zou overhandigen. De minuten tikten langzaam weg. De gedachten van Stefan waren voortdurend bij zijn aanstaande ontmoeting met Joop en zijn uiteindelijke vertrek vanavond. Hij zou vanaf Schiphol via Frankfurt vliegen, en dan meteen door naar Buenos Aires in Argentinië. Hij was zich bewust van een vreemde onrust in zijn binnenste en wist dat deze vorm van nervositeit pas van hem af zou vallen wanneer het vliegtuig vanavond zou opstijgen.

Joop had woord gehouden. Op de lange polderweg naar 'De wijde blik' zag hij een auto langs de kant van de weg staan. Het was de huurauto van Joop. Stefan kuchte. Nu moest het ervan komen. Voor Tessa was het de gewoonste zaak van de wereld dat hij de man te hulp schoot. Ze attendeerde hem erop dat hij de Wegenwacht maar moest bellen als hij de auto met pech onderweg niet op gang kreeg. Maar zover zou het niet komen, wist Stefan. Nadat hij Tessa voor 'De wijde blik' had afgezet, parkeerde hij zijn auto achter die van Joop. Het irriteerde hem een ogenblik dat Joop zo dicht bij 'De wijde blik' was gaan staan met zijn zogenaamde autopech.

'Moet dat nu, zo dicht bij het huis?' mopperde Stefan. 'Ik wil niet dat de familie van Tessa betrokken raakt bij onze ontmoeting.'

'Niet in paniek raken, Stefan. Dat is nergens voor nodig. We zijn hier zo klaar. Kijk... als jij me nu wat gereedschap aangeeft uit jouw kofferbak, controleer ik meteen het oliepeil van mijn auto en sleutel ik aan wat andere dingen. Daarna geef ik je het gereedschap terug samen met het spelletje. Dan zijn we klaar, en start mijn auto weer. Afgesproken?' Joops ogen keken hem ernstig aan.

Stefan slikte en knikte. Hij kon er niets aan doen. De oplopende spanning zorgde voor zijn kregelige humeur. Hij verdween in de kofferbak van zijn auto, waar de koffer met kleding al klaarlag voor vertrek. Hij nam een leren gereedschaptasje uit de kofferbak en overhandigde dat aan Joop. Hij keek zijdelings naar 'De wijde blik', waar tot zijn ergernis op het erf een man in een blauwe overal naar hen stond te kijken. Hij hield een riek in zijn hand, alsof hij hen elk moment te lijf wilde gaan. Dat moest de vader van Tessa zijn; dat kon niet anders. Een nieuwsgierig plattelandsboertje.

Om zich een houding te geven boog Stefan zich samen met Joop over het motorblok. Ze spraken samen nog over de hoeveelheid geld die Joop in de monopolydoos gestopt had.

'Gewoon monopolygeld, hoor...' lachte Joop met een knipoog.

'Als je me voor de gek houdt...' Het zweet brak Stefan van alle kanten uit.

'Stil maar. Je bent altijd een beste vriend geweest, Stefan. Ik gun Heleen en jou een geweldige toekomst. En wie weet, kom ik jullie daar binnenkort opzoeken.' Joop stopte een paar sleutels terug in het leren gereedschaptasje en duwde het bundeltje weer in de handen van Stefan. 'Zo, nu start ik deze auto even opnieuw. Als jij dan naast het autoportier gaat staan, duw ik je het spelletje meteen in handen. Dat geef ik je als blijk van waardering, voor je goede hulp.' Joop knipoogde plagend om de spanning wat te breken.

Het was allemaal heel eenvoudig. Joop draaide aan het contact, en de motor sloeg onmiddellijk aan. Hij stak zijn duim op en knikte goedkeurend.

Nadat Joop hem het spelletje, dat in een plastic zak zat en op de passagiersstoel lag, had overhandigd, legde Stefan alles weer in de kofferbak van zijn auto. De plastic zak met het monopolyspel stevig achter zijn koffer weggemoffeld, want daar zat een gigantisch kapitaal in. Hij haalde opgelucht adem toen hij de kofferbak dichtsloeg. In één oogopslag zag hij vervolgens op het erf van 'De wijde blik' twee jongetjes naar de polderweg lopen, met Tessa achter zich aan. Ze glimlachte blij en zwaaide naar hem. Hij hield zijn adem een ogenblik in, maar hoefde nu niet bang meer te zijn voor de supporters die eraan kwamen. Alles was immers afgehandeld. Hij draaide zich om naar Joop, die uitgestapt was en hem ten afscheid een hand toestak.

'Stefan, ik wens je een goede reis naar Argentinië. Groeten aan je vrouw.' Joop glimlachte en stapte daarna meteen in.

De twee jongens die aan de kant van de weg waren gekomen, keken de wegrijdende auto teleurgesteld na.

Tessa hield de handen van de jongens stevig vast.

De man in de blauwe overal ging naast hen staan.

De blijde glimlach op Tessa's gezicht had plaatsgemaakt voor een ernstige blik. Maar door de opluchting die zich van Stefan meester maakte, viel haar veranderde gezichtsuitdrukking hem niet op. Nog een paar uurtjes, dan kon hij alles achter zich laten en gaan genieten van zijn rijkdom en het heerlijke, zorgeloze leven dat hem wachtte.

13

Job en Frankie drukten hun neuzen plat tegen het raam van 'De wijde blik'.

'Wat een grote auto heeft jou vriend, tante Tess,' zei Job vol bewondering.

Ze keken allemaal naar het tafereel aan de overkant van de weg, waar Stefan zijn best deed om de gestrande automobilist te helpen. Jacco en Nicolien hadden Tessa alsnog gefeliciteerd met haar verjaardag en haar een pakje overhandigd. Moeder drukte haar daarna een boekenbon in haar hand en een flesje exclusieve eau de toilette. Het flesje was afkomstig van een parfumeriezaak, en er zat het geurtje in dat Tessa altijd gebruikte. Ze bedankte hen hartelijk, maar haar ogen zochten toch herhaaldelijk de auto aan de overkant van de polderweg.

'Ik wil graag buiten kijken, bij die kapotte auto. Mag dat, mam?' zeurde Frankie.

Nicolien wilde juist zeggen dat ze liever had dat de jongens binnen bleven, maar Tessa was haar voor.

'Goed idee. We gaan samen even een kijkje nemen om te zien of Stefan de auto van die man aan de praat krijgt. Ik loop met jullie mee.'

Tessa kon haar ongedurigheid niet langer bedwingen. Ze wilde Stefan het liefst zo snel mogelijk voorstellen aan haar familieleden. Het was lastig dat een kerel met pech onderweg meteen alle aandacht van Stefan opeiste. Ze dacht er juist aan toch maar even naar de overkant van de weg te lopen, toen Frankie begon te zeuren. Ze liep achter de jongens het erf op en zag tot haar opluchting dat de gestrande chauffeur de motorkap van zijn auto juist liet dichtvallen. De chauffeur startte zijn auto, waarvan de motor meteen aansloeg. Het probleem was blijkbaar opgelost. Hij overhandigde Stefan daarna zijn gereedschaptasje en een witte plastic zak die netjes werden opgeborgen in de BMW. De dankbare chauffeur stapte vervolgens weer uit. Hij stak Stefan zijn hand toe. Tessa keek naar de man met de opmerkelijke bril. Ze kon zich nog steeds niet herinneren waar ze dit trendy montuur eerder had gezien. Haar ogen namen de man kritisch op. Als vanzelf gleden haar ogen naar zijn mond, die glimlachte en openging. Zijn lippen bewogen. Ze kon de woorden die hij uitsprak, voor een groot gedeelte van zijn lippen lezen, zoals ze dat in haar kinderjaren spelenderwijs bij Jessica's opvoeding had geleerd te doen. De gestrande automobilist articuleerde de woorden nauwkeurig. Het waren geen woorden van dankbaarheid voor de geboden hulp. Nee, ze zag het duidelijk. De man zei: 'Stefan... goede reis naar Argentinië en groeten aan je vrouw.' De opgetogen lach op haar gezicht stierf weg. Ze hield de jongens bij de kant van de polderweg tegen. Vader kwam naast hen staan toen de man instapte en meteen wegreed. Stefan stapte vervolgens in zijn auto en reed het erf op. Tessa stond al die tijd vastgenageld aan de grond. De woorden van de man hamerden onophoudelijk in haar hoofd. 'Goede reis naar Argentinië... groeten aan je vrouw...' Wat hadden die woorden eigenlijk te betekenen? Kende Stefan de gestrande automobilist soms? Wat bedoelde die man met 'goede reis naar Argentinië, en groeten aan je vrouw'? Bedoelde hij Heleen soms? Die zat nog steeds in Argentinië, volgens André. Maar Stefan was toch gescheiden? Voor zover ze wist, sprak Stefan liever niet over zijn ex. 'Het verleden is voorbij,' zei hij altijd. Het bonkte in haar hoofd. De bril die de man op zijn neus had, waar had ze die eerder gezien? De vragen stormden in golven op haar af. Ze besefte ineens dat Stefan vanaf het moment dat ze vanmiddag bij hem in de auto was gestapt, erg afwezig had gereageerd. Alsof hij er niet helemaal bij was met zijn gedachten. De mededeling dat hij om vijf uur weg wilde, had haar ook verbaasd. Ze had er wel begrip voor gehad, want Stefan moest alles aanpakken wat op zijn weg kwam om weer een zaak te beginnen. Maar was het wel waar? Ze geloofde wat hij haar vertelde. Ze had alle vertrouwen in hem. Dat vertrouwen was door de opmerking van de chauffeur ineens aan het wankelen gebracht. Er was iets aan de hand waar ze de vinger niet op kon leggen.

Toen Tessa uit haar gepeins schrok, zag ze plotseling een andere auto met hoge snelheid op de polderweg langs haar heen stuiven. In een flits zag ze de bestuurder van het voertuig. 'Theo,' fluisterde ze zachtjes. De rechercheur van het politiekorps zag ze wekelijks op het bureau. Samen met zijn collega Maarten werkte hij meestal undercover. Zoals het ernaar uitzag, reed de auto van Theo in hoge snelheid achter de auto van de gestrande automobilist aan. Zie je wel, er klopt iets niet, flitste het door Tessa's hoofd.

'Tessa...' hoorde ze Stefan roepen.

Ze schrok op uit haar gedachten en draaide zich om naar Stefan. De jongens trokken beiden aan haar hand. 'Kom, tante Tess.'

'Misschien wil je me nu voorstellen aan je ouders.' Stefan lachte. Op zijn gezicht lag een blik van opluchting. Hij streek door zijn haar. 'Dat met die automobilist zojuist was slechts een kleinigheidje,' knipoogde hij olijk, en hij stak vervolgens zijn hand uit naar Tessa's vader.

Tessa knikte kort. 'Eh... Ja, natuurlijk. Dit is mijn vader. Pa, dit is Stefan Merkelbach...' Ze slikte.

De eeltige hand van haar vader omvatte de hand van Stefan toen ze elkaar de hand schudden. Vader mompelde wat onverstaanbare woorden. Ze liepen achter elkaar naar binnen, waar Stefan meteen in beslag werd genomen door de kennismaking met Jacco, Nicolien en moeder. Tessa kon zich nauwelijks concentreren. In gedachten probeerde ze de uitspraak van de gestrande automobilist te analyseren. Ze kon niet langer ontkomen aan een sterk groeiend gevoel van achterdocht en onbehagen. De uitspraken van de chef kwamen haar weer helder voor de geest. Ze wist ineens met zekerheid dat hij de roofoverval op de juwelierszaak van Stefan niet zo definitief had afgesloten als hij haar had doen geloven. Goed, het dossier was dan wel gesloten, maar André had het onderzoek zelf nog niet afgesloten. Het bewijs daarvan had ze zojuist gezien toen rechercheur Theo met hoge snelheid achter de gestrande automobilist aan reed. Een duidelijke achtervolging. Het vermoeden dat Stefan inderdaad bij een duister zaakje betrokken was, kon ze niet langer meer negeren. De teleurstelling woog zwaar. Had ze zich dan zo in Stefan vergist?

Terwijl moeder met koffie en gebak rondliep, raakten Stefan en Jacco in een geanimeerd gesprek. Tessa zag haar kans schoon en liep onopgemerkt de kamer uit. Haar mobiele telefoon hield ze krampachtig in haar klamme hand. Fikkie volgde haar naar het erf om bij een boom zijn behoefte te doen. Snel toetste ze het telefoonnummer van de chef in. Haar hand trilde.

'Met André,' hoorde ze in haar oor.

'Hallo, met Tessa. Ik denk dat je gelijk hebt, wat betreft de Merkelbach-zaak, André...' Tessa vertelde hem in korte bewoordingen wat er een kwartier geleden had plaatsgevonden, en dat ze woorden van iemands lippen had gelezen die ze liever niet had willen zien. Ze wist ineens ook precies te vertellen waar ze de opmerkelijke bril van de man eerder had gezien. 'Op de bewakingscamera die in de juwelierszaak van Stefan opnamen maakte van de overvaller...' Ze was totaal verbijsterd toen het puzzelstukje op zijn plaats viel in haar hoofd. De tranen brandden achter haar ogen. Haar keel was vreemd dik. Ze voelde zich verraden door de man die in korte tijd veel voor haar was gaan betekenen, de man met wie ze haar toekomst had willen delen. Haar Stefan stond op het punt om naar Argentinië te vertrekken. Was ze in de achterliggende weken dan zo blind geweest? Net zo blind als bij Ben Jongsma? Ze zag ineens heel duidelijk dat ze er ook nu de voorkeur aan had gegeven op haar gevoel van loyaliteit af te gaan in plaats van de intuïtie van haar chef serieus te nemen. Intuïtie, een reactie van het onderbewustzijn. Intuïtie gaf soms een antwoord op wat niet met het nuchtere verstand vastgesteld kon worden. Geen direct bewijs, maar meestal een goede reden om toch verder te gaan met het onderzoek totdat resultaat bereikt werd.

'Ik had al tijden een vermoeden,' hoorde ze André zeggen. 'Fijn, dat je meteen gebeld hebt, Tess. Heb je het nummerbord van die auto genoteerd? Ik check bij Schiphol voor alle zekerheid de passagierslijsten naar Argentinië. Ja, ja ik stuur je nog wel een sms-berichtje zodra ik iets meer weet.' André verbrak de verbinding.

De eerste tranen gleden over Tessa's wangen. Ze leunde achterover tegen de muur. In haar hoofd was het een chaos. Ze stond te trillen op haar benen. Zojuist had ze Stefan verlinkt bij de politie, en daarmee haar toekomst definitief om zeep geholpen. Er was geen man meer om mee verder te gaan. Ze zou opnieuw alleen blijven. Alleenstaand. Alleen thuiskomen, alleen door het leven gaan. Bah, ze baalde ervan. Tessa schopte tegen een steentje, waar de waakse Fikkie meteen achteraan stoof. Hij was dol op spelletjes.

'Wat sta jij hier te doen? Moeder vraagt zich af waar je blijft,' hoorde ze vaders knorrige stem plotseling naast zich zeggen.

Tessa schrok, veegde snel haar tranen af en vroeg zich af hoe lang vader daar al had gestaan. Had hij misschien iets opgevangen van haar telefoongesprek met André? Tessa glimlachte krampachtig en wilde langs haar vader naar binnen sluipen.

'Denk je echt dat het wat wordt met die knaap daarbinnen?' hoorde ze vader vragen. Er lag een klank van spot in zijn woorden. Tessa stond stil en keek hem gelaten aan. Daarna haalde ze haar schouders op. Haar familie zou over enkele uren de waarheid te weten komen. Ze kon de schijn niet ophouden. Niet tegenover vader. 'Nee, pap. Ik denk het niet. Helaas...' fluisterde ze.

'Vind je hem niet aardig genoeg?'

'Stefan is erg aardig, maar hij is... Hij is niet eerlijk, pap. Hij is niet de man voor wie ik hem hield. Daar ben ik een paar minuten geleden achter gekomen. Straks, wanneer hij weg is, vertel ik jullie alles.' Ze keek vader beschaamd aan.

'Denk je dat je vriend het goed vindt als ik even naar zijn auto kijk? Het is een mooi exemplaar.'

Tessa fronste verbaasd haar wenkbrauwen. Vader was geïnteresseerd in een auto? Dat vond ze wel een beetje vreemd. Dat was nog nooit eerder voorgekomen.

'Vast wel,' antwoordde Tessa ongeïnteresseerd, en ze liep naar binnen. Job en Frankie zaten aan tafel met een spelletje kwartet. Daar stond ook een punt gebak met een flinke toef slagroom op haar te wachten. Normaal gesproken was ze dol op zoetigheid, maar nu kon ze het onmogelijk weg krijgen. Ze zag dat Stefan nog steeds in gesprek was met Jacco. Ze hadden het over hun arbeidzame leven. Moeders ogen straalden.

'Enige vent,' fluisterde Nicolien vol bewondering bij haar oor. Ze gaf Tessa een kop koffie. 'Je moeder is ook onder de indruk van hem. Hebben jullie nu een serieuze relatie met elkaar?'

Tessa kreeg het Spaans benauwd. 'Tja, we vinden elkaar... aardig.'

Nicolien wilde haar juist een spervuur aan vragen stellen toen Tessa's mobiele telefoon een geluidje produceerde. Ze knelde het kleine apparaat in haar hand. Ze kreeg een sms-berichtje van André, zag ze meteen. Ze stond onmiddellijk op en wilde haastig naar de keuken lopen.

'Vanwaar die haast, Tessa? Kom toch even gezellig bij ons zitten,' hoorde ze Jacco roepen.

'Ja, kom naast me zitten,' Stefan wees naar de lege plaats naast hem op de bank.

'Ik ben zo terug,' antwoordde ze met een bonzend hart. In de keuken drukte ze op haar mobieltje en las ze het sms-berichtje van haar chef: *Vertrek Merkelbach vanavond om 23.15 uur naar Argentinië. Geen actie ondernemen, Tessa. De politie zal hem vanavond voor vertrek ter plaatse aanhouden voor verhoor.* Ze drukte haar mobieltje weer uit, sloot haar branderige ogen een moment en haalde diep adem. De komende uren zouden de moeilijkste uit haar hele carrière worden; dat was duidelijk.

Niet lang nadat André voor het raam had gestaan om Tessa met Stefan Merkelbach weg te zien rijden, kreeg hij een telefoontje van Maarten. De heer Van Dal was een kwartier geleden in zijn huurauto gestapt en weggereden, zei Maarten. De verwachting dat Van Dal wellicht meteen door zou rijden naar Schiphol, waar de huurauto vanavond door het autoverhuurbedrijf gehaald zou worden, kwam niet uit. Maarten maakte daar melding van.

'Verlies hem niet uit het oog, misschien wil hij van tevoren nog iets regelen. Houd me op de hoogte,' commandeerde André. Hij liep naar de slaapkamer en trok zijn uniform aan. Nog geen uur later kreeg hij opnieuw een telefoontje van Maarten. Van Dal had op een stille landweg een ontmoeting gehad met Merkelbach, de voormalige juwelier. Er was dus toch sprake van een duidelijke connectie met de roofoverval en de gestolen diamanten. De Belgische politie had hen op een goed spoor gezet. De illegaal verkochte diamanten waren bijna zeker afkomstig van de roofoverval op de juwelierszaak van Merkelbach. De ontmoeting tussen Van Dal en Merkelbach was geen toevallige ontmoeting, al leek het daar wel op.

'Collega Van Vliet is ook in beeld,' wist Maarten erbij te vermelden. 'Theo en ik vragen ons af in hoeverre zij misschien ook betrokken is bij dit zaakje.'

André ontkende heftig. 'Merkelbach heeft misbruik gemaakt van de situatie. Hij heeft haar ingepakt met zijn mooie praatjes. Verlies Van Dal niet uit het oog, Maarten. Ik neem Stefan Merkelbach en collega Van Vliet wel voor mijn rekening.'

Nog geen vijf minuten later belde Tessa. André haalde opgelucht adem. Hij had haar goed ingeschat. Ze was een agente naar zijn hart. Dat ze hem nu belde, moest erg moeilijk voor haar zijn, begreep hij. Eindelijk was tot haar doorgedrongen dat Stefan niet zo onschuldig was als ze voorheen dacht.

André hoorde de emotie in Tessa's stem toen ze hem vertelde waar hij al zo lang een vermoeden van had gehad. Merkelbach had zich vanaf het begin af aan in de nesten gewerkt. Alleen had André geen bewijzen gehad om hem aan te houden en hem voor de officier van justitie te leidde. Met gepaste trots bedankte hij Tessa voor haar informatie, en hij beloofde haar een berichtje te zullen sturen zodra hij meer wist over het vertrek van Merkelbach naar Argentinië. Hij informeerde meteen daarna bij Schiphol naar de passagierslijst van mensen die vandaag naar Argentinië wilden vertrekken. Hij kreeg al snel een positieve bevestiging. De naam Merkelbach stond inderdaad op de passagierslijst. Merkelbach was dus van plan de benen te nemen. Hij stuurde Tessa meteen een sms'je en liet haar het laatste nieuws weten. Daarna trok hij zijn politiejasje aan, zette zijn pet op en verliet zijn pension. Hij was niet van plan Tessa en Merkelbach deze dag uit het oog te verliezen en reed met hoge snelheid naar 'De wijde blik', waar hij ongezien zijn positie innam en alles op afstand haarscherp in de gaten kon houden.

De auto van Merkelbach stond op het erf. Na enkele uren geduldig wachten zag André Merkelbach instappen en alleen wegrijden. De familie zwaaide hem van achter het raam na. Van Tessa ontbrak ieder spoor. Merkelbach had natuurlijk een smoesje bedacht om Tessa van zich af te schudden, dacht André. Hij was daar alleen maar blij om, vanwege haar veiligheid, en zette meteen een achtervolging in. Na vijf minuten zocht hij in de auto telefonisch contact met Tessa.

Tessa's stem klonk niet langer geëmotioneerd toen ze hem vertelde dat Stefan van de gestrande chauffeur ook een extra pakketje had aangenomen. 'Mijn vader heeft gezien dat Stefan het pakketje samen met het gereedschaptasje in de achterbak van zijn auto heeft gelegd.'

'Zodra Merkelbach op Schiphol is en hij bij de vliegmaatschappij gaat inchecken, pakken we hem op voor verhoor. Ik verwacht dat hij dat pakketje niet in zijn auto laat liggen, maar bij zich draagt. Wat denk je dat erin zit, Tess?' André draaide zijn auto de A2 op, richting Utrecht, Amsterdam. Deze zaak, die weken muurvast had gezeten, bleek ineens onverwacht snel opgelost te kunnen worden.

Tessa kuchte in zijn oor. 'Het zou me niets verbazen als Stefan de afrekening heeft gekregen van zijn illegaal verkochte diamanten.'

'Ja, juist! Dat vermoeden heb ik ook. Wel Tessa, je hoort nog van me.'

André volgde de BMW van Merkelbach op ruime afstand en belde regelmatig met zijn collega's Theo en Maarten. Ook zij volgden nog steeds een auto en reden pas in het begin van de avond naar Amsterdam.

De middag verliep plezierig en ontspannen. Tessa had zich, na de grootste schok te hebben verwerkt dat Stefan op het punt stond naar Argentinië te vertrekken, snel weten te herstellen. Ze deed zo normaal mogelijk om bij Stefan geen achterdocht te wekken. Als hij straks weg was, zou ze haar familie meteen op de hoogte brengen. Maar voordat het zover was, moest ze dit toneelspel noodgedwongen meespelen. Ze merkte vanaf het begin al dat Jacco erg in zijn sas was met een gesprekspartner als Stefan. Moeder zorgde voor fris, hartige hapjes en een biertje. Nicolien en de jongens speelden samen nog een spelletje kwartetten, waarna Job en Frankie met een voetbal naar de wei achter 'De wijde blik' liepen. Er werd niet gesproken over de burgerlijke staat van Stefan en het feit dat hij nog niet zo lang geleden gescheiden was. Het onderwerp werd door iedereen angstvallig vermeden.

Vader kwam na een poosje weer binnen met een zorgelijke blik op zijn gezicht. 'Zeg Tess, je vriend heeft een pakketje gekregen van die andere chauffeur. Ik heb het duidelijk gezien. Hij heeft het in de achterbak van zijn auto gelegd, maar de auto is afgesloten. Ik heb er geen vertrouwen in,' bromde hij toen ze even een moment samen met hem in de keuken stond om frisdrank in te schenken. Hij droeg nog steeds zijn blauwe overal.

Tessa fronste haar wenkbrauwen opnieuw. Daarom had haar vader ineens zo veel belangstelling voor Stefans auto gehad. 'Bedankt voor de tip, pap. Het komt allemaal goed. Probeer in ieder geval zo normaal mogelijk te doen totdat Stefan vertrekt.'

'Nou ja, die pet past ons toch allemaal,' antwoordde vader samenzweerderig. Voor het eerst die dag zag ze een vage glimlach op het gezicht van haar vader, die zich ineens verrassend positief uitliet over het politieberoep. 'Ik vind het ook geen kerel voor jou, Tess. Dat zag ik al meteen.' Zijn gezicht versomberde bij deze woorden.

Het was bijna vijf uur, toen Stefan afscheid nam van haar familie. Hij kuste haar nog voorzichtig op haar mond toen ze de voordeur voor hem openhield. 'Je hebt een leuke familie, schatje. Fijn, dat ze me zo goed accepteren.' Hij streelde haar wang. 'Morgen bel ik je weer. Dan kan ik je vast wat meer vertellen over mijn toekomstplannen.'

'Ik kijk ernaar uit,' fluisterde Tessa met een bonzend hart. Ze bleef achter. Nog voordat Stefan wegreed, sloeg ze de voordeur dicht. Ze kon de schijn niet langer ophouden. In één beweging trok ze de ring met de glinsterende briljantjes van haar vinger. Het was voorbij. Haar relatie met Stefan had niet lang geduurd. Ze was veel te naïef geweest door zo snel van zijn onschuld overtuigd te zijn. Ze had de waarschuwingen en de intuïtie van André naast zich neergelegd en veel te snel haar conclusies getrokken. Stefan had handig gebruik gemaakt van de warme gevoelens die ze van het begin af aan voor hem koesterde. Het had haar bewust op een dwaalspoor gebracht.

Ze schrok van haar mobiele telefoontje dat ging. Het was André. Ze vertelde hem van vaders ontdekking. En dat ze ervan uitging dat Stefan vrijwel zeker een flink bedrag had geïncasseerd voor de verkoop van de illegaal verkochte diamanten. Toen ze de verbinding verbrak, nam ze zich spontaan voor zelf ook naar Schiphol te vertrekken. Ze wilde het gezicht van Stefan zien wanneer hij erachter kwam dat ze op de hoogte was van zijn spelletje. Ze drukte het nummer van een taxibedrijf in. Jammer dat haar auto nu in Breda stond. Ze had geen tijd meer om die te halen. Ze moest snel zijn, wilde ze de arrestatie van Stefan niet mislopen.

'Over een kwartier graag,' zei ze toen het taxibedrijf naar het adres informeerde waar de chauffeur haar moest komen halen.

In de kamer hoorde ze Jacco en Nicolien opgetogen tegen haar ouders zeggen dat ze zo blij waren dat Tessa eindelijk de ware Jacob tegen het lijf was gelopen.

'Ik geloof er niks van,' bromde vader. 'Tessa verdient beter...' Jacco protesteerde, maar Tessa viel hem in de rede. 'Pap heeft gelijk,' zuchtte ze. 'Ik moet jullie eerlijk vertellen dat ik vanmiddag noodgedwongen de schijn heb opgehouden.' In telegramstijl vertelde ze hun van haar ontdekking aan het begin van de middag.

Tien minuten later stopte de taxi voor het huis en liet ze een verbouwereerde familie achter. Tessa's vertrek leek op een vlucht. Pas in de taxi, op de achterbank, kwamen de opgekropte tranen. De hele middag had ze zich goed gehouden. Maar nu brak er iets vanbinnen. Het waren tranen van diepe teleurstelling en wanhoop. Ze voelde zich diep gekwetst door de man van haar dromen. Nog nooit had ze zich zo afgewezen en zo alleen gelaten gevoeld.

Stefan keek zijdelings op zijn horloge. Het was bij zessen, en het was niet druk op de weg naar Schiphol. Hij had een aangename middag achter de rug. De familie van Tessa was erg gastvrij en vriendelijk geweest. Een godsdienstige tekst op een wandbord, waarvan hij vrijwel zeker wist dat het een bijbeltekst was, deden hem beseffen dat Tessa in een gelovig gezin was opgegroeid. Dat bezorgde hem even een beklemmend gevoel. Met de opgezette roofoverval en de illegale verkoop van diamanten op zijn geweten viel hij meteen door de mand. Nou ja, er kraaide toch geen haan naar. Het was goed dat zijn contact met Tessa na vanmiddag voorbij zou zijn. Wat dat betreft, vond hij het een opluchting nu eindelijk naar Argentinië te kunnen vertrekken. Er was een eind gekomen aan zijn Nederlandse avontuur. Joop had hem op geraffineerde wijze zijn deel van de buit ongezien in handen gestopt. Zijn koffer lag gepakt in de kofferbak, en het vliegticket met visum zat veilig in de binnenzak van zijn colbert. Zijn BMW zou hij gewoon bij Schiphol parkeren en de autosleutels in het dashboardkastje stoppen. Aan alles was gedacht. Joop had niets aan het toeval overgelaten. Stefan wist dat Joop ook naar Schiphol zou komen, om de BMW op te halen. Maar ze zouden elkaar daar niet meer treffen. Er liepen overal politieagenten in uniform en personeel van de beveiligingsdienst rond. Ze wilden ieder risico vermijden alsnog opgepakt te worden. Daarom had Joop hem zijn deel van de buit ook niet op Schiphol willen overhandigen.

Stefan naderde Schiphol en parkeerde zijn auto volgens afspraak. Hij toetste een kort berichtje in op zijn telefoon en verzond het naar Joop met de gegevens van het vak waar hij zijn BMW had geparkeerd. Dan hoefde Joop niet onnodig lang te zoeken tussen de grote hoeveelheid auto's die er geparkeerd stonden. Daarna pakte hij zijn koffer en het plastic tasje waarin het monopolyspel verpakt zat. Heel even kreeg hij de neiging de doos te openen, het geld te tellen en het door zijn vingers te voelen gaan. Maar hij bedacht zich. Het was beter geen verdachte handelingen te verrichten. Overal waren bewakingscamera's bevestigd. In de vertrekhal keek hij aandachtig naar het bord met de vertrektijden. Hij had nog een uurtje voordat hij kon inchecken. Stefan besloot een broodje te gaan eten met een sterke kop koffie erbij. Bij een kiosk kocht hij een krant om de tijd te doden. Een uur wachten duurde lang. Toen de krant uit was en hij het broodje achter zijn kiezen had, dronk Stefan zijn kop koffie leeg. Het plastic tasje met het monopolyspel verloor hij geen moment uit het oog. Hij moest er nog mee door de douane zien te komen, maar volgens Joop zou het geen enkel probleem opleveren. Een beetje zenuwachtig was hij wel. Straks, in het vliegtuig, zou alles van hem af vallen en kon hij zich volledig verheugen op het weerzien met Heleen.

Heleen zou hem altijd aan Tessa blijven herinneren; dat was zeker. Qua gelijkenis zouden ze zussen kunnen zijn. Hij vond het nog steeds opmerkelijk.

Stefan nam zijn koffer, drukte het plastic tasje stevig onder zijn arm en liep door de vertrekhal naar de balie, waar al enkele passagiers voor de vlucht naar Argentinië stonden te wachten. Hij leverde zijn koffer in en gaf de jongedame van de luchtvaartmaatschappij zijn paspoort met het vliegticket en visum. Ze controleerde alle gegevens. Ze vertelde hem op welk tijdstip hij bij de juiste terminal werd verwacht en nam het paspoort van de man achter hem al aan. Stefan had geen zin meer om nog langer in de vertrekhal te blijven rondhangen en liep meteen door naar de douane. In zijn maag voelde hij een wee gevoel bij het zien van agenten in uniform. Hij hoopte dat Joop zich niet had vergist en dat het monopolyspel zo door de douane heen kon. Hij hield zijn paspoort gereed voor controle terwijl het zweet hem aan alle kanten uitbrak. Krampachtig glimlachte hij naar de douanier die zijn paspoort aannam en teruggaf. De agent die twee meter voor hem naast de douanepost met zijn rug naar hem toe stond, draaide zich plotseling om.

Stefan kreeg de schrik van zijn leven toen hij het gezicht van Bontekoe herkende. Er stond meteen een andere agent achter Stefan, die zijn arm stevig vastpakte.

'Wij nemen u even mee voor verhoor, meneer Merkelbach,' zei Bontekoe met een ondoorgrondelijke glimlach op zijn gezicht.

Stefan slikte. De stevige greep van de politieman achter hem zorgde ervoor dat hij geen kant op kon. Bij de passagiers achter hem ontstond enige beroering. Stefan stapte uit de rij en volgde Bontekoe naar een kantoorruimte, niet ver van de douanepost vandaan. Allerlei gedachten flitsten door zijn hoofd. Dit verhoor had waarschijnlijk niets te betekenen, hield hij zichzelf voor. Ze hadden hem niet gearresteerd. Hij moest alleen even mee voor verhoor. Zijn hart bonkte in zijn keel. Het mocht niet verkeerd gaan, zo vlak voor zijn vertrek. Het mocht niet... Heleen keek naar hem uit. Hij had gisteren alle financiële zaken bij de bank geregeld. Het geld was onderweg naar Argentinië. Nee, het mocht op dit laatste moment niet verkeerd gaan, dacht Stefan koortsachtig. De deur van de kleine kantoorruimte ging open, en toen hij naar binnen liep, zonk hem alle moed in de schoenen. Achter een bureau stond Tessa van Vliet. Ze keek hem met een nietszeggende blik aan en wees naar de plastic tas die hij nog steeds krampachtig onder zijn arm hield.

'Dag, meneer Merkelbach,' hoorde hij haar op kille toon zeggen. 'Het verbaast u waarschijnlijk dat we elkaar zo snel weer treffen. Maar we zijn benieuwd naar wat er in die plastic tas zit. Kunt u ons de inhoud laten zien?'

Stefan keek haar verbijsterd aan. Haar stem klonk onaangenaam hard, puur zakelijk. Zo kende hij haar niet. Tessa was altijd uitermate vriendelijk voor hem geweest. Ruim drie uur geleden hadden ze elkaar zelfs nog gekust. Hij opende zijn mond, maar sloot hem meteen weer. Hij kon geen zinnig woord uitbrengen. De agent die hem vasthield, trok het plastic tasje onder zijn arm vandaan en deponeerde het op het bureau.

'Neemt u plaats, meneer Merkelbach,' commandeerde Bontekoe.

Stefan besefte ineens dat hij vanavond niet naar Argentinië zou vertrekken. Hij was erbij, ondanks het waterdichte plan van Joop. Tessa had al die tijd gewoon onder één hoedje gespeeld met de politie. Ze was er zelfs niet voor teruggedeinsd haar familie erbij te betrekken. Zij had hem er gewoon in geluisd, terwijl hij dacht dat ze van hem gecharmeerd was. Hij had haar willen gebruiken om tot zijn doel te komen en ongezien uit Nederland te ontsnappen, maar zij was listiger geweest en had hem gebruikt.

Stefan nam plaats achter het bureau. De telefoon van Bontekoe ging over. De geüniformeerde agent luisterde een paar tellen aandachtig. Daarna verbrak hij de verbinding.

'De heer Van Dal is zojuist aangehouden op het parkeerterrein van Schiphol. Hij wilde er met uw BMW vandoor. Kent u deze man?'

Stefan knikte kort. Hij kon het wel ontkennen, maar wat had hij daaraan?

'De politie kan aantonen dat meneer Van Dal de roofoverval op uw juwelierszaak heeft gepleegd. Met uw medewerking is er een kapitaal aan diamanten geroofd. Stefan Merkelbach, ik arresteer u op verdenking van medeplichtigheid bij die roofoverval en het bedriegen van de verzekeringsmaatschappij.' De stem van Bontekoe klonk overtuigend.

Stefan boog zijn hoofd. Hij was niet langer in staat Tessa aan te kijken toen ze het monopolyspel tevoorschijn haalde en de doos opende.

'Hoe... hoe wist je dat... van het geld, bedoel ik...' fluisterde hij hakkelend toen hij naar de felbegeerde bundels papiergeld keek.

Er gleed een glimlach om Tessa's mond toen ze de volgende woorden uitsprak: 'Die pet past ons allemaal. Dat waren de woorden van mijn vader, Stefan.' Daarna keerde ze zich om en verliet ze het kantoortje.

Bontekoe nam plaats op de stoel voor hem en vuurde wel een uur lang allerlei vragen op Stefan af. Een politieauto met politiebegeleiding bracht hem vervolgens weg. Van Tessa was geen spoor meer te bekennen.

14

Tessa kwam na middernacht thuis in haar appartement. Theo en Maarten hadden haar naar het bureau in Breda gebracht, waar ze een verklaring moest afleggen over het verloop van de middag in de huiselijke kring van haar familie. En over het feit dat ze daar achter Stefans geheime plannetje was gekomen door belangrijke woorden van de lippen van Joop te lezen. Nu was alles achter de rug. Stefan en Joop zaten vast en hadden in de aanwezigheid van een advocaat de vooropgezette roofoverval op juwelierszaak Merkelbach bekend. Theo had enkele belangrijke gegevens meteen doorgespeeld naar zijn collega's in Antwerpen. De chef kon het dossier-Merkelbach opnieuw openen en het daarna definitief sluiten. Hij zou er met voldoening de woorden 'misdrijf opgelost' bij kunnen schrijven. De chef was van plan maandag de ex-vrouw van Stefan ook na te trekken op verdenking van mogelijke betrokkenheid bij de zaak. Maar Heleen zat te ver weg en was ook niet in Nederland geweest tijdens de roofoverval op de juwelierszaak van haar ex. Er wachtte de chef een moeilijke klus om de eventuele bewijslast daarvan rond te krijgen. Het was spijtig dat de politie niets meer kon doen aan de overgemaakte geldbedragen. Die transacties waren niet meer terug te draaien. Zolang Heleen in Argentinië was, zou ze er financieel voorlopig warmpjes bij zitten.

Tessa nam niet de moeite om haar jas uit te trekken, maar liet zich uitgeblust op de bank zakken. Na alle commotie van deze dag voelde ze zich alleen. Vanmorgen waren er nog verwachtingen en toekomstplannen geweest. Ze had toen nog gedacht de liefde van haar leven te hebben gevonden. Nu was ze weer op zichzelf aangewezen. Stefan had van het begin af aan misbruik gemaakt van haar gevoelens. Ze had vanmiddag correct gehandeld door op het meest kritieke moment de chef in te schakelen, maar gevoelsmatig was ze er kapot van. Het was allemaal heel tegenstrijdig. Er liepen tranen over haar wangen toen ze zich de kussen van Stefan weer herinnerde. Ze was van het begin af aan honderd procent overtuigd geweest van zijn onschuld en liefde. Maar sinds vanmiddag voelde ze zich volledig gedesillusioneerd, bedrogen en gekwetst. De zaak-Merkelbach was dan wel opgelost, maar in haar hart was het een chaos. Ze had niet langer het vooruitzicht van een duurzame relatie en een huwelijk waaruit kinderen geboren zouden worden. Niets. De eenzaamheid zou opnieuw toeslaan nu ze alleen verder moest. Ze dacht aan haar ouders, broer en schoonzus, die Stefan afgelopen middag met open armen hadden ontvangen. Ze mocht niet vergeten morgen contact op te nemen en hen op de hoogte te brengen van de nare afloop. Ze had er door alle commotie niet meer aan gedacht. En nu was het te laat geworden. Iedereen lag vast al in bed.

Zou Hanneke zich nu ook nog zo ontredderd voelen, vroeg ze zich af toen gedachten aan haar vriendin door haar hoofd flitsten. Wat Hanneke te verwerken had gekregen, was vele malen erger dan haar eigen verdriet. Tessa voelde een onbedwingbare neiging Hanneke ondanks het late tijdstip te bellen. Ze had dringend behoefte aan een luisterend oor en wilde haar verdriet delen met de persoon die altijd het dichtst bij haar had gestaan. Dat was niemand anders dan Hanneke. Tessa graaide het mobiele telefoontje uit haar zak en belde Hanneke. Er werd vrijwel meteen opgenomen, alsof Hanneke op haar had zitten wachten.

'Ik stoor je toch niet, Han?' informeerde Tessa met tranen van opluchting in haar stem.

'Jij stoort me nooit. Ik kan niet slapen, Tess. Er zijn zo veel gedachten, ik kom er niet uit...'

Aarzelend zocht Tessa naar een opening om haar eigen verdrietige verhaal onder woorden te brengen. Aan de andere kant hoorde ze dat Hanneke haar neus snoot voordat ze antwoordde.

'Waarom kom je niet een paar dagen bij me logeren?' hoorde ze haar zeggen. 'Ik zit voorlopig nog drie weken met de kinderen in deze bungalow. Jessica is er ook. We praten samen

vaak over wat er gebeurd is. Dat wat jou overkomen is, vind ik ook afschuwelijk. Wat denk je ervan? Kom je?'
'Als het kan... graag!' Tessa veerde meteen omhoog. 'Dan kom ik nu, Hanneke. Ik houd het hier niet langer uit.'
'Kom maar. Ik wacht op je...' De verbinding werd verbroken.
Tessa sprong op, sleepte haar weekendkoffer uit de kast en duwde er het nodige ondergoed en wat kledingstukken en toiletspullen in. Ze wilde zo snel mogelijk weg uit deze stille omgeving, vluchten voor de eenzaamheid die als een monster op haar af dreigde te komen nu Stefan definitief uit haar leven was verdwenen.

André had de zaak-Merkelbach naar tevredenheid afgehandeld. Nadat zijn volledige rapport ingediend was bij de officier van justitie, leunde hij achterover op zijn bureaustoel. Het waren drukke dagen geweest, maar hij had zich sinds lang niet meer zo voldaan gevoeld als nu. Het was hem dan eindelijk gelukt die gluiperige Merkelbach met zijn mooie misleidende praatjes op te sluiten. Intussen was André er ook achter gekomen dat de echtscheiding tussen Merkelbach en zijn ex vooropgezet was geweest om iedereen te misleiden. Er was een duidelijk plan geweest, dat André samen met zijn team op het juiste moment had weten te voorkomen. Heleen was de lachende derde. De bewijslast rondom haar persoontje zouden ze nooit rond kunnen krijgen. En met het kapitaal dat Merkelbach aan haar had overgemaakt, zou ze het in Argentinië heel lang kunnen volhouden.
André was blij dat Tessa in deze zaak op tijd aan de bel had getrokken. Dankzij haar snelle reactie was de politie op de hoogte geweest van veel meer details. Sinds die avond had André haar niet meer gezien of gesproken. Afgelopen maandagochtend had ze zich ziek gemeld, wist de receptioniste van het bureau hem te melden. Nu hij erover nadacht, vond hij het wel vreemd dat ze hem daar niet over had gebeld. Op de parkeerplaats achter zijn pension miste hij ook al enkele dagen haar auto. Na diensttijd probeerde hij haar telefonisch te be-

reiken, maar ze had haar mobiele telefoon uit staan. Op de boodschap die hij insprak op haar antwoordapparaat, met het verzoek hem zo snel mogelijk terug te bellen, reageerde ze ook niet. Dat vond André vreemd. Het was alsof ze van de aardbodem was verdwenen.

Tegen het einde van de week raakte Andrés geduld op en begon hij zich zorgen te maken. Hij wist dat Tessa tot over haar oren verliefd was geweest op Merkelbach, en dat ze nu door een moeilijke periode ging nu ze erachter was gekomen dat hij haar voor de gek had gehouden. Nadat André 's avonds na het avondeten voor de zoveelste keer haar antwoordapparaat te pakken kreeg, vond hij dat het tijd werd om actie te ondernemen. Hij belde voor de zekerheid aan bij haar appartement. Maar toen er niet werd opengedaan, en alles stil bleef, stapte hij in zijn auto en reed hij naar 'De wijde blik', het huis van Tessa's ouders. Hij was ervan overtuigd dat hij haar daar zou aantreffen.

De late zonsondergang zorgde voor een warme gloed over de landerijen, waarin koeien dicht op elkaar stonden. Het was stil. Er waaide een zachte bries, en die streelde zijn wang doordat hij het autoraam had opengedraaid. Op de polderweg kwam hij geen enkele tegenligger tegen. 'De wijde blik' zag hij al in de verte liggen. André kon zich voorstellen dat het een prachtige plek was om tot rust te komen. Hij reed enkele minuten later zijn auto het erf op en stapte uit. De handboeien die aan zijn riem waren bevestigd, rammelden zachtjes. Hij schudde zijn hoofd. Hij besefte nu pas dat hij zijn uniform nog aanhad. Hij had zich na werktijd willen verkleden, maar was het vergeten.

De achterdeur van de woning zwaaide open, en een vriendelijke vrouw liep hem tegemoet en gaf hem een hand. 'Magda van Vliet,' stelde ze zich voor. 'U bent een collega van Tessa? Dat zie ik aan het uniform.'

André knikte en noemde zijn naam. 'Tja, ik ben André Bontekoe, korpschef van het bureau waar Tessa werkt.'

Een enthousiaste boerenfox sprong tegen hem op en blafte.

Een man in een donkerblauwe overal maande de hond vanaf de achterdeur tot kalmte en kwam op zijn klompen langzaam naderbij.

'Tessa is hier niet,' riep hij al vanaf een afstand. 'Door dat gedoe met die criminele juwelier staat het leven van onze jongste dochter op z'n kop. Nee, het was geen vent voor haar. Ik zag het meteen al.'

'Bertus toch!' Magda keek haar man met gefronst voorhoofd aan.

André glimlachte. Hij mocht de vader van Tessa wel. Die sprak tenminste klare taal.

'Lust u soms een kopje koffie?' vroeg Magda hem vervolgens.

'Graag, mevrouw. Maar ik kom voor Tessa. Ze is er niet, begrijp ik?'

Onder het genot van een kop koffie kreeg André te horen dat Tessa niet op 'De wijde blik' verbleef en voorlopig ook niet telefonisch bereikbaar was.

'Tessa heeft tijd nodig om alles een beetje te verwerken. Ze is erg teleurgesteld in Stefan Merkelbach; dat zult u begrijpen. En de situatie met de man van haar vriendin speelt haar ook parten. Ze vindt dat ze tot tweemaal toe gefaald heeft in haar werk als politieagent. Vindt u dat ook, meneer Bontekoe?' Magda was erg vriendelijk en open.

André was op zijn beurt blij dat Tessa hem eerder op de hoogte had gebracht van de ellendige situatie waarin haar beste vriendin terechtgekomen was. 'Bij beide situaties was Tessa persoonlijk betrokken. Dat maakt het moeilijk als agent objectief te functioneren. Ik wil graag met haar praten,' antwoordde André. 'Ziet u... Tessa en ik kunnen samen heel goed met elkaar praten. Hebt u het adres voor me waar ze momenteel verblijft.'

'Laat dat meisje toch een paar dagen met rust,' mopperde Bertus.

'Bertus,' riep Magda haar man tot de orde. 'Deze korpschef is de baas van Tessa, hoor. Hij mag wel weten waar ze is. Tessa zal het ons vast niet kwalijk nemen als we haar baas het adres geven.'

Bertus keek van hen weg, naar het raam. 'Onze dochter heeft een goede man nodig. Ze is veel te vaak alleen. Daarom liet ze zich ook zo snel inpakken door die juwelier. Bent u getrouwd, meneer Bontekoe?' De blik van Bertus bleef op de ringloze vingers van André rusten.

'Zeg maar gewoon André. Meneer Bontekoe klinkt zo formeel. Nee, ik ben niet getrouwd. Ik ben, net als uw dochter, alleenstaand. Ik... eh... Ik wil graag open kaart met u spelen. Ik hoop eigenlijk dat ik bij uw dochter nog een kans maak, na haar affaire met die juwelier.'

Bertus trok zijn beide wenkbrauwen op. 'Een kans? Tja... nou, dan wil ik ook eerlijk zijn, André. Ik heb nog altijd hoop dat Tessa op een dag een leuke boerenknecht tegen het lijf loopt. Bert de Jager bijvoorbeeld, een kerel met een leuk boerenbedrijfje hier in de buurt. Zeg nou zelf, André... het is toch niets voor een jonge vrouw de hele dag met een pistool op zak te lopen en boeven te vangen. Ik was van het begin af aan al geen voorstander.'

Magda schonk met een afkeurende blik in de richting van haar man nog eens koffie in. 'Houd toch op, Bertus. De Jager heeft intussen allang een andere vriendin.'

'Dat valt me nou tegen van De Jager...' gromde Bertus op verslagen toon. 'Nou ja, hij kan ook niet eeuwig op Tessa blijven wachten.'

'Het spijt me voor u dat ik geen boerenzoon ben met een boerenbedrijf,' antwoordde André. 'Ik ben politieagent in hart en nieren, net als uw dochter. En ik ben onlangs tot de ontdekking gekomen dat ik van uw dochter houd.'

André keek naar de gezichten van Tessa's ouders. Hij had het niet zo lukraak willen zeggen, maar deze mensen waren zo eerlijk en ontwapenend. Wat hem de laatste tijd bezighield, kon hij niet langer voor zich houden.

Magda stond abrupt op en kwam terug met pen en papier. Ze plaatste een leesbril op het puntje van haar neus en schreef een adres op. Daarna overhandigde ze het papiertje aan André. 'Dat heeft Tessa juist nodig, André. Een man die van haar houdt. Mijn gevoel zegt me dat je eerlijk bent. Hier heb je het adres waar ze momenteel verblijft, samen met Hanneke, haar vriendin. Ze zijn elkaar deze dagen tot steun.'

Bertus zuchtte diep en schudde meewarig zijn hoofd, alsof hij wilde zeggen: 'Geen boer als schoonzoon, ach... ik leg me er maar bij neer.'

Een halfuur later reed André weer naar huis. Het was te laat geworden om nu nog door te rijden naar het bungalowpark waar Tessa logeerde. Hij had inmiddels een veel beter idee gekregen. Morgen, zaterdag, wilde hij Tessa verrassen met een tocht op de motor. Hij had er al eerder met haar over gesproken. Het motorpak met de helm die van Nienke waren geweest, lagen sinds het begin van de week klaar in zijn pension. De weerberichten zagen er gunstig uit. Hij zou Tessa meenemen naar zijn woning in Den Haag, en 's middags nog een paar uurtjes met haar doorbrengen in Scheveningen. Daar konden ze uitwaaien aan het strand en een hapje eten bij een van de vele eetgelegenheden die er waren. En hij wilde met haar praten over wat hem de laatste tijd bezighield.

Tessa arriveerde 's nachts om twee uur bij het bungalowpark. Haar auto parkeerde ze voor de ingang. De hefbomen waren tussen elf uur 's avonds en zes uur 's morgens hermetisch gesloten, zodat ze vanaf de parkeerplaats nog tien minuten moest lopen om bij de bungalow van Hanneke te komen. De toegangsweggetjes op het bungalowpark waren maar schaars verlicht met straatlantaarns, zodat Tessa goed moest opletten dat ze niet de verkeerde afslag nam. Alle bungalowtjes leken op elkaar, maar de nummers waren duidelijk zichtbaar aangebracht op paaltjes langs de kant van de weg.

Hanneke zat al op haar te wachten.

Ze omhelsden elkaar.

'Ik vind het echt fantastisch dat je meteen kon komen, Tess,' fluisterde Hanneke bij de voordeur. Tessa rook de koffie toen ze haar jas uittrok. Daar had ze trek in. Ondanks het nachtelijke uur voelde ze nog geen spoortje slaap. Haar koffertje zette ze in de gang, onder de kapstok.

'Hoe gaat het met jou en de kinderen?' vroeg ze terwijl Hanneke met de koffiepot en kopjes in de weer was. Ze wilde Hanneke niet meteen lastigvallen met haar eigen verdriet. Ze was geschrokken van het gezicht van Hanneke, dat ze nu bij het volle lamplicht in de kamer beter kon zien. Haar wangen waren wit en ingevallen. Onder haar ogen tekenden zich donkere wallen af, en haar lichaam leek wat vermagerd. Dat was niets voor Hanneke. Die was altijd in de weer met haar uiterlijk. Ze wist alle oneffenheden meestal goed te camoufleren met make-up en aangepaste kleding. Maar het kon haar nu blijkbaar niets schelen. Een veel te ruime joggingbroek fladderde om haar benen, en haar haren waren aan een grondige wasbeurt toe. Het hing vet, dof en futloos langs haar pipse gezicht.

Hanneke zuchtte, alsof ze een zware last op haar schouders droeg. 'Niet zo goed als ik zou willen,' fluisterde ze. 'De kinderen vermaken zich hier prima. Ze hebben het gelukkig reuze naar hun zin. Maar ze vragen iedere dag naar Ben. Ze missen hem. Ik moet steeds allerlei smoesjes verzinnen omdat Kim en Niek nog veel te klein zijn om te begrijpen wat er gebeurd is. Ik word er soms doodmoe van, Tess! En zelf... ik zou dolgraag weer naar huis willen gaan om mijn gewone leven weer op te pakken. Maar het kan niet. Het gonst in het dorp van de meest afschuwelijke geruchten over Ben. Het is vreselijk.'

Het lukte Tessa haar eigen verdriet even te parkeren en haar volledige aandacht op Hanneke te richten.

Hanneke vertelde dat ze al meer dan een week behoorlijk depressief was omdat ze niet meer zo zeker was van haar eerdere plannen om echtscheiding aan te vragen. Dat was ook de oorzaak van haar slapeloze nachten. 'Ik heb een gesprek gehad met onze dominee. Hij kwam ons hier opzoeken en stelde me een paar vragen waarover ik ernstig heb nagedacht. Ik kom er niet uit, Tessa. Ik weet niet meer wat ik moet doen.'

'Heeft de dominee zich dan uitgesproken tegen een echtscheiding?' wilde Tessa weten.

'Nee, juist niet,' antwoordde Hanneke. 'Hij was zelfs heel begripvol. Maar na alle commotie werd mij de vraag gesteld of ik nog van Ben hield.'

'En?' vroeg Tessa.

'In het begin haatte ik hem om wat hij mij en de kinderen heeft aangedaan. En niet alleen mij en de kinderen, maar ook Jessica en Lindsay. Ik wilde het liefst zo snel mogelijk van hem af. Maar nu... nu ben ik tot de slotsom gekomen dat ik Ben eigenlijk niet wil missen, dat ik nog van hem houd. Snap je dat? Vind je dat nu niet belachelijk stom, Tessa?'

'Nee, hoor. Dat begrijp ik heus wel. Je huwelijk met Ben is toch ook heel lang gelukkig geweest. Dat kun je niet zomaar aan de kant schuiven. Neem de tijd om alles goed in overweging te nemen.'

'Ik snap het nog steeds niet, dat Ben zo... ' Hannekes ogen vulden zich met tranen.

Tessa sloeg een arm om Hannekes schouders. Het was moeilijk haar vriendin te troosten en de juiste woorden te vinden, terwijl ze zelf net een blauwtje had gelopen bij Stefan. Ze besefte ineens dat haar eigen verdriet naast dat van Hanneke niet zo veel voorstelde. Ze kwam er wel weer overheen. Haar verlies was niet zo groot. Er waren geen directe gevolgen. Ze was alleen een desillusie rijker. Het leed dat Hanneke was aangedaan, was heel wat erger. Er waren kinderen in het spel, en een lief zusje, Jessica. Daarbij was naast het persoonlijke verdriet ook een maatschappelijk probleem ontstaan doordat het imago van Ben voor altijd was aangetast. 'Je hebt hulp nodig, Hanneke. Je kunt het traject dat voor je ligt, niet alleen aan. Het belangrijkste is dat je voorlopig geen overhaaste beslissingen neemt. En wanneer je zover bent dat je een beslissing kunt nemen, doe dat dan weloverwogen.'

'Voorlopig wil ik niet dat Ben thuis komt wonen wanneer hij vrijkomt,' viel Hanneke haar plots in de rede, alsof ze de woorden van Tessa niet had gehoord. 'Dat vind ik niet goed. Hij moet maar bij zijn moeder intrekken. Misschien kan ik beter wel meteen echtscheiding aanvragen, Tess.'

Tessa observeerde haar vriendin, die met trillende handen nog eens koffie inschonk. Ze zag eruit als een opgejaagd dier, volkomen in de war. 'Ben je onlangs nog bij een huisarts geweest, Hanneke?'

'Een huisarts? Wat heeft die er nu mee te maken?' Hanneke klonk kregel.

'Ik denk dat je een middeltje nodig hebt om 's nachts wat beter te kunnen slapen. Je ziet er doodmoe uit, en zo... onverzorgd. Dat is niets voor jou.'

'Het kan me eerlijk gezegd niets meer schelen.'

'Morgen informeer ik hier bij de receptie welke huisarts we in de omgeving het beste kunnen raadplegen. Het gaat niet goed met je. Jessica past wel een paar uurtjes op de kinderen.'

Hanneke begon te huilen.

Tessa merkte dat de situatie sinds vorige week alleen maar verergerd was. Zouden tante Sjaantje en oom Herman hiervan op de hoogte zijn, vroeg ze zich af. Om vier uur lukte het haar Hanneke met lichte dwang naar bed te krijgen.

Jessica werd wakker van al het geroezemoes. Ze schrok toen ze Tessa zag. 'Jij? O, Tessa, wat fijn dat je er bent. Het gaat helemaal niet goed met Hanneke,' vertrouwde ze Tessa toe, toen Hanneke zich als een klein kind onder het dekbed had laten stoppen. 'Pap en mam vonden het een prettige gedachte dat ik een poosje bij Hanneke kon blijven, want ze is helemaal van de kaart. Ik weet niet zo goed wat ik moet doen.' Jessica gebaarde druk met haar handen.

Tessa probeerde haar te kalmeren. 'Ik ga morgenvroeg eerst op zoek naar een huisarts in deze buurt. Je hebt gelijk: dit kan niet zo blijven. Hanneke gaat eronderdoor. Ze heeft op de eerste plaats rust nodig.'

'Maar er is hier zo veel rust in de omgeving.' Jessica gebaarde met haar armen en articuleerde ieder woord duidelijk.

Tessa drukte een vinger op haar lippen. 'Sst, straks worden de kinderen wakker. Kom, dan praten we beneden verder.'

'Hanneke moet een poosje ongestoord kunnen slapen, Jessica,' verklaarde ze toen ze samen beneden kwamen. 'Ze is oververmoeid van het vele piekeren. Een huisarts kan haar een middeltje voorschrijven zodat ze kan slapen. Dat heeft ze nodig, en het is maar tijdelijk. Als ze daarna weer op krachten is, kan ze alles veel beter aan.'

'Ik hoop dat je gelijk hebt,' zuchtte Jessica.

Tessa informeerde vervolgens naar het welzijn van Jessica.

'Ik ben ontzettend blij dat de relatie met Hanneke weer in orde is gekomen,' antwoordde Jessica. 'Wat de handelwijze van Ben betreft, zal het nog wel een tijdje duren voordat ik daaroverheen ben. Peter is in deze situatie echt een rots in de branding. We kunnen er samen goed over praten. Voor Hanneke is het erger... Soms zegt ze dat ze Ben haat, dan weer dat ze van hem houdt. Hij is natuurlijk wel de vader van hun drie kindertjes. Ik begrijp de tweestrijd die ze heeft. Daarom is het fijn hier te zijn. Hanneke en ik zijn elkaar ook tot steun. Alleen groeit het Hanneke boven haar hoofd. Ze ziet nu al op tegen de dag dat Ben weer op vrije voeten komt.'

Klokslag vijf uur verdween Jessica weer naar boven.

Tessa vroeg zich af waar Hanneke gedacht had dat zij kon slapen. Deze nacht, die nog slechts een paar uurtjes duurde, nam ze maar genoegen met de bank in de kamer. Ze sloeg een plaid om zich heen en ging liggen. Morgen zou ze wel verder zien. De stilte daalde neer, maar van boven klonk af en toe het gesmoorde gesnik van Hanneke. Het verdriet van haar vriendin zorgde voor een brok in haar keel. Haar gedachten dwaalden af naar Stefan, die door de politie was weggebracht in afwachting van een proces. Wat was ze toch ongelooflijk dom en naïef geweest om tijdens een lopende zaak verliefd te worden op een verdachte. Ze had niet willen zien wat de chef al die tijd al wel zag. Ze was blind geweest. Ze had de superieure blik op het gezicht van André wel gezien, toen hij Stefan had gearresteerd. Ze had zich daarbij heel erg onbehaaglijk gevoeld en besefte dat ze in haar werk gefaald had. Net als in het geval-Ben Jongsma. Had het wel nut nog langer bij de politie te blijven na twee grote blunders? Misschien was het beter haar ontslag te vragen en een andere baan te zoeken. Langzaam viel Tessa in een onrustige slaap.

Tessa had zich de volgende dag ziek gemeld. Ze voelde zich niet tot werken in staat. Daar voelde ze zich veel te onzeker voor.

Op maandagmorgen reed ze met Hanneke naar de huisarts. Omdat Hanneke nauwelijks het woord kon voeren, bracht Tessa de arts volledig op de hoogte van de situatie. Zoals ze al had verwacht, schreef hij haar voor de komende week een kuurtje met slaaptabletten voor. Volgende week verwachtte hij Hanneke dan terug op zijn spreekuur om te zien of er verbetering te constateren was.

De dagen die volgden, sliep Hanneke dag en nacht. Ze kwam alleen even uit bed om naar het toilet te gaan en af en toe iets te eten en te drinken. Jessica had de zorg voor de kinderen helemaal op zich genomen. De kleintjes waren maar wat blij met alle aandacht die ze kregen nu tante Tessa ook in de bungalow logeerde.

Tessa had intussen een bed bemachtigd op de kamer waar baby Thijs sliep. Het drukke gezinsleven met de kinderen van Hanneke zorgde er wel voor dat ze afstand kon nemen van haar eigen problemen. Iedere minuut van de dag werd ze in beslag genomen door de levenslustige kinderen, Jessica, en de zorg voor Hanneke. Stefan kwam daardoor iedere dag wat verder van haar af te staan. Ze had zich gewoon in hem vergist. Na drie dagen lukte het haar zelfs enkele uren niet aan de zaak-Merkelbach te denken. Er verscheen weer een lach op haar gezicht wanneer ze met de kleintjes ravotte.

Aan het eind van de week ontwaakte Hanneke, en was ze voor het eerst sinds dagen weer in staat een paar uurtjes op te blijven. Tessa zag dat de slaap haar goed had gedaan. 'Het komt allemaal goed, Hanneke,' bemoedigde ze haar vriendin, die zei dat ze zich inderdaad al wat beter voelde.

Later op de avond nam Tessa haar mobiele telefoon uit de

kast. Die had ze aan het begin van de week uitgezet. Haar ouders wisten op welk adres ze verbleef. In geval van nood was ze te bereiken op de mobiele telefoon van Hanneke. Dat had ze met hen afgesproken. Ze zette haar telefoontje aan en fronste haar wenkbrauwen toen ze enkele ingesproken berichten van André beluisterde. Waarom wilde hij dat ze zo snel mogelijk contact met hem zocht? Wilde hij haar soms weer snel aan het werk zetten? Nou, daar was ze nog niet aan toe.

Ze belde het nummer van haar ouders en kreeg moeder Magda aan de lijn. 'De korpschef is vanavond op bezoek geweest,' kon moeder haar tot haar verbazing vertellen. 'Ik heb hem het adres gegeven van het bungalowpark. Hij wil je graag spreken.'

'Ach mam, dat had u beter niet kunnen doen. Bontekoe wil me vast weer aan het werk hebben, en dat kan ik nog niet aan. Misschien gaat het over een week beter, maar nu...' zuchtte ze, teleurgesteld omdat moeder het adres toch aan haar chef had gegeven.

'O nee,' hoorde ze moeder roepen. 'Daar heeft André het helemaal niet over gehad. Wat hij je te vertellen heeft, is wel heel belangrijk, kind. Je vader en ik vinden hem in ieder geval een bijzonder aardige man.' Ze hoorde moeder gniffelen aan de andere kant van de lijn.

'Wanneer komt André naar het bungalowpark? Vanavond nog?' wilde Tessa weten.

Daar kon moeder geen uitspraak over doen.

Ze praatten over en weer nog even over Hanneke en haar situatie, en daarna beëindigde Tessa het gesprek. Ze dacht aan de boodschap die moeder haar had doorgegeven, dat André haar iets te vertellen had wat erg belangrijk was. Het zou haar niet verbazen als ze vanwege de Merkelbach-zaak alsnog haar ontslag zou krijgen. Ze had enorm geblunderd. Net als bij Ben Jongsma. De ernst daarvan was haar ontgaan op het moment dat ze erop vertrouwde dat Ben haar de waarheid had verteld. Hij had haar maar wat op de mouw gespeld en haar met een kluitje in het riet gestuurd. Later die dag had hij ondanks haar dringende waarschuwing Lindsay Visser toch aangerand. Met die nare gevolgen zaten Hanneke en de kinderen nu opgezadeld. Het was haar plicht geweest erger te voorkomen, maar ze had gefaald. Ze had de aanranding van Lindsay kunnen voorkomen, maar was te goed van vertrouwen geweest.

Die nacht sliep Tessa slecht. Gedachten aan haar falen overheersten de gedachten en de herinneringen aan Stefan. Ze was niet langer verdrietig om wat hij haar had aangedaan. Ze was nu alleen nog maar boos. Boos op zichzelf en vreselijk boos op Stefan, omdat hij misbruik had gemaakt van haar gevoelens. Hij had er niet eens veel moeite voor hoeven doen. Was ze dan zo wanhopig op zoek geweest naar een man, om niet langer alleen verder te hoeven gaan? Als het vrijgezellenleven haar niet zo had beheerst, was ze vast meer op haar hoede geweest. O, als ze het allemaal mocht overdoen... Als ze nog eens een kans zou krijgen, zou ze die met beide handen aanpakken. En dan zou ze zich niet zonder slag of stoot meteen in een relatie met Stefan storten. Maar gedane zaken namen geen keer. Ze moest de gevolgen onder ogen zien, of ze dat nu leuk vond of niet.

15

André was er klaar voor. Hij had zojuist bij een tankstation de tank van zijn motor volgegoten met benzine en het verschuldigde bedrag bij de kassa afgerekend. Hij zette de helm weer op zijn hoofd, duwde het vizier naar beneden en reed over de snelweg naar het adres dat Magda van Vliet hem gisteravond had gegeven. Tessa wist nog niets van zijn komst. Hij wilde haar verrassen. Hij wist niet goed hoe hij haar zou aantreffen en of ze al over haar teleurstelling heen zou zijn. Maar hij hoopte dat ze in staat zou zijn deze zaterdag met hem mee te gaan. Hij had haar deze motorrit beloofd, en vandaag was het rustig zomerweer.

Tessa keek verbaasd op toen hij in zijn motorpak en met de helm in zijn arm voor haar stond.

Kim en Niek kwamen nieuwsgierig naast haar staan.

'Ik had je op je verjaardag een tochtje met de motor beloofd. Wat denk je ervan? Het weer is goed. Dat was de voorwaarde.' Hij hing nonchalant tegen de deurstijl van de voordeur. Zijn ogen gleden als vanzelf een ogenblik naar haar vingers. Tot zijn opluchting zag hij de gouden ring met briljantjes niet meer aan haar ringvinger zitten.

Tessa nodigde hem met een aarzelende glimlach uit binnen te komen. Hij zag een frons op Tessa's voorhoofd verschijnen. Ze had de kinderen van Hanneke al het een en ander beloofd, vertelde ze.

Maar Jessica, de jonge vrouw die in de kamer van de bungalow aan hem werd voorgesteld, lachte de bezwaren van Tessa weg. 'Ik neem het vandaag wel van je over, Tess. Maak je geen zorgen. Kim en Niek vinden het ook fijn als ik met hen ga zwemmen.'

Het viel André op dat Jessica haar woorden nadrukkelijk articuleerde. Hij herinnerde zich weer dat Tessa hem had verteld over het dove zusje van Hanneke. Een jonge vrouw met een vriendelijke uitstraling, zichtbaar dol op de kinderen.

Kim en Niek maakten er geen probleem van toen Tessa vertelde dat zij een andere keer met hen naar het zwembad zou gaan.

Het motorpak en de helm van Nienke pasten Tessa perfect. Daarin had André zich gelukkig niet vergist. Na een kop koffie te hebben gedronken reed hij met Tessa achterop het bungalowterrein af.

André koerste naar Den Haag en hield zich daarbij keurig aan de toegestane snelheid. Hij voelde haar armen stevig om zijn middel en zocht tijdens de rit in gedachten al naar de juiste woorden om haar straks te vertellen wat zijn gevoelens voor haar waren. Misschien was het nog te snel om haar daarmee te overvallen. Hij wist ook niet hoe ze op dit moment tegenover Stefan Merkelbach stond. Misschien had ze het allemaal nog niet goed verwerkt. Misschien ook wel. Hij zou er straks wel achter komen. Vooralsnog vond hij haar houding wat gereserveerd. Daar maakte hij zich zorgen om. Normaal gesproken was ze veel enthousiaster. Nu leek ze vooral de kat uit de boom te kijken, alsof ze de zaak niet helemaal vertrouwde.

André reed in Den Haag door de wijk met dure villa's. Hij keek niet eens om naar het grootste huis waar ze langs reden. Het huis waar Nienke nu woonde, deed hem helemaal niets meer. Om haar te vergeten had hij een tijdelijke aanstelling bij het politiekorps in Breda geaccepteerd. En het was hem gelukt zijn leven zonder haar verder te leven, dankzij de komst van Tessa. Nienke was niet meer dan een herinnering.

Vol trots liet hij Tessa een halfuurtje later zijn woning zien. Hij zag wel dat ze ervan onder de indruk was. Vervolgens stapten ze weer op de motor. Hij reed via een korte route naar Scheveningen. Daar parkeerde hij zijn motor in een stalling. Ze ontdeden zich alle twee van hun motorpak en helm en besloten een wandeling langs het strand te gaan maken. Daar, langs het water, wilde hij haar graag zeggen wat hij op zijn hart had. Maar zo eenvoudig liet een dergelijk gesprek zich niet sturen.

Tessa keek perplex toen ze André in zijn motorpak voor zich zag staan. Of ze vandaag met hem mee wilde naar Den Haag, achter op de motor. Het kwam eigenlijk niet goed uit. Ze had Kim en Niek beloofd mee te gaan zwemmen. Jessica zorgde voor de oplossing en zegde toe in haar plaats mee te gaan. Kim en Niek vonden het allang goed.

Ze nam voor een dagje afscheid van Hanneke, die nog op bed lag. Haar mobiele telefoon zette ze weer aan en duwde ze in haar zak, zodat ze vandaag toch bereikbaar was voor Hanneke. Samen met Jessica en André dronk ze beneden nog een kop koffie, waarna ze gekleed in een goedpassend motorpak bij André achter op zijn glimmende BMW BOXER kroop.

'Houd me maar goed vast,' adviseerde André haar en duwde vervolgens het vizier van zijn helm naar beneden. Dat deed zij ook, waarna ze haar armen stevig om zijn middel sloeg. Een beetje eng vond ze deze motorrit wel, nu ze achterop zat. Maar André reed niet hard. Hij nam de bochten ruim en niet al te scherp. Na tien minuten besefte ze dat ze het heerlijk vond. André wilde met haar naar Den Haag en later naar Scheveningen. Hij zou er deze dag wel mee komen dat ze persoonlijk te veel betrokken was geraakt bij de zaak-Merkelbach en dat ze maar beter naar een andere baan kon uitkijken. Tijdens de motorrit naar Den Haag moest Tessa er steeds aan denken. Moeder had door de telefoon gezegd dat André haar iets belangrijks te zeggen had. Ze kon op dit moment niets anders verzinnen. Een eventueel ontslag hield haar al dagen bezig.

Na een uurtje arriveerden ze in Den Haag. André had een mooi hoekhuis met garage tot zijn beschikking. Het was heel wat anders dan het pension dat hij tijdelijk huurde in Breda. Tessa keek bewonderend rond. André had de smaak van een vrijgezel; dat zag ze duidelijk aan de strakke, ruimtelijke inrichting.

'Wel wat groot voor een man alleen,' merkte ze op.

'Daar was deze woning ook niet voor bedoeld. Maar mijn vorige relatie liep op niets uit. Daardoor bleef ik hier alleen wonen. Na twee maanden heb ik een tijdelijke overplaatsing naar Breda geaccepteerd.'

Tessa nam zijn antwoord voor kennisgeving aan. Tja, ze was ervan op de hoogte dat André maar tijdelijk haar korpschef was. Binnenkort zou hij wel naar het korps in Den Haag teruggaan, vermoedde ze.

André maakte van de gelegenheid gebruik en stelde in zijn woning wat zaken op orde. Daarna reden ze door naar Scheveningen om een strandwandeling te maken en een hapje te eten in een bekend visrestaurant. Het was druk. Het mooie zomerweer trok tal van mensen naar het strand. André parkeerde zijn motor. Ze trokken hun motorpakken uit en borgen alles veilig op in een kluis die bij de fietsenstalling te huur werd aangeboden. Daarna slenterden ze een poosje zwijgend langs de boulevard.

'Mijn moeder zei door de telefoon dat je me iets belangrijks te vertellen had, André. Mag ik ernaar raden? Ik denk dat ik wel weet wat je me vandaag wilt vertellen.' Tessa voelde zich opgelucht toen ze het gesprek opende. Er hing een vreemde spanning tussen hen in, die ze graag wilde doorbreken. Ze kon zich voorstellen dat André het moeilijk vond haar met ontslag te sturen. Ze zou hem een handje helpen. Ze ontkwam er toch niet aan. Eén keer blunderen op het werk werd door de vingers gezien. Maar twee keer... Nee, dat werd doorgaans niet geaccepteerd. Het korps kon niet langer van haar op aan. Ze liet zich te veel door haar gevoel en emotie leiden. Daar loste ze geen zaken mee op.

'Ga je gang,' antwoordde André. Ze zag dat hij haar verbaasd aankeek.

'Ik heb er zelf de afgelopen week dagelijks aan gedacht. En ik kan het begrijpen als je me met ontslag wilt sturen vanwege de Merkelbach-zaak. Ik had niet zo snel een relatie met Stefan moeten beginnen. Mijn visie op de zaak was daardoor niet langer objectief. Ik heb je tijdens het lopende onderzoek laten vallen, André. En dat spijt me vreselijk. Stefan was van het begin af aan betrokken bij de roofoverval op zijn winkel, en hij heeft de verzekeringsmaatschappij opgelicht. Het was hem bijna gelukt het land uit te vluchten met het geld van de illegaal verkochte diamanten. En dat heeft gewoon onder mijn neus kunnen gebeuren. Ik had niets in de gaten. Helemaal niets. Ik ga wel op zoek naar een andere baan.'

Het hoge woord was eruit. Het bleef stil. Samen liepen ze een eindje verder.

'Laten we daar even gaan zitten, op dat bankje,' stelde André voor toen ze er juist langs liepen. Het was het enige vrije bankje op de lange boulevardweg.

Tessa zette haar zonnebril op. De zon scheen uitbundig in haar gezicht. Ze moest steeds met samengeknepen ogen kijken.

André draaide zich naar haar toe en keek haar onderzoekend aan.

Tessa was blij dat de donkere brillenglazen haar ogen camoufleerden. De woorden die ze zojuist had uitgesproken, deden haar meer dan ze voor mogelijk had gehouden. Haar carrière, het werk waarin ze al vanaf de schoolbanken geïnteresseerd was en dat ze ook altijd met veel plezier had uitgeoefend, moest ze opgeven. Er sprongen tranen van spijt in haar ogen.

'Er is helemaal geen sprake van ontslag...' De woorden van André klonken verontwaardigd.

'Via een tip uit België is de Merkelbach-zaak alsnog aan het rollen gebracht. Joop Van Dal werd vanwege die tip al enige dagen door Theo en Maarten in de gaten gehouden. Hij was betrokken bij de illegale verkoop van diamanten. Afgelopen zaterdag bracht Van Dal ons ook op het spoor van Merkelbach. Dankzij jouw oplettendheid en snelle reactie kregen we ineens meer grip op de zaak en konden we de wetsovertreders snel arresteren. Ik wist niet dat je kon liplezen, Tessa. In een zaak als deze bracht het onverwacht uitkomst.'

'Het lukt ook niet altijd,' antwoordde Tessa, verlegen met het compliment. Ze vertelde in het kort iets over de hardhorendheid van Jessica en over de tijd waarin ze zich het liplezen eigen had gemaakt. 'Spraak afzien, zoals liplezen ook wel wordt genoemd, is vaak moeilijk. Maar in het geval van Joop Van Dal was het duidelijk. Ik kon hem goed aankijken, zijn mond was vrij, het daglicht helder, en hij sprak duidelijk met een goede articulerende mimiek. Daarbij herkende ik de bril van Joop. Hij verraadde zichzelf. Hij had dezelfde trendy bril op zijn bivakmuts staan toen hij de juwelierszaak van Stefan van diamanten beroofde. Maar wat zei je nu zojuist, André? Is er geen sprake van ontslag? Ik dacht toch echt dat...' Tessa ging rechtop zitten. 'Wat denk je trouwens van mijn lakse reactie bij Ben Jongsma? Ik had de aanranding van Lindsay Visser kunnen voorkomen als ik niet zo goed van vertrouwen was geweest. Dat zit me nog steeds dwars. Het is zo moeilijk te accepteren dat Hanneke en de kinderen daar de dupe van zijn geworden.' Er sprongen tranen in haar ogen. Ze wreef met haar hand langs haar wang aan de onderkant van haar bril, zodat André een verloren traan niet zag rollen.

'Jij had niet kunnen voorkomen wat Ben Jongsma van plan was te doen,' zei André. 'Ben had ook op een andere dag kunnen toeslaan. En hij had de aanranding van Karin Paans ook al op zijn geweten. Dat was weken eerder al gebeurd. Naar jouw waarschuwing heeft hij niet willen luisteren, Tessa. Die waarschuwing sloeg hij zelfs in de wind door nog diezelfde avond Lindsay Visser lastig te vallen. Ben Jongsma is voorlopig een gevaar voor de samenleving, meisje. Als hij na zijn vrijlating geen hulp accepteert en zijn leven niet wil veranderen, zie ik het somber in.'

'Ik heb zo met Hanneke te doen,' fluisterde Tessa geëmotioneerd. 'Hanneke is er kapot van.' Ze schudde meewarig haar hoofd. 'En ik ook.'

'Dat begrijp ik, Tessa. Maar het is niet jouw schuld. Ben draagt die schuld. Hij was volledig toerekeningsvatbaar. Jij hebt als vriendin het enige gedaan wat je kon doen. Hanneke zal in de toekomst haar weg wel weer vinden, met alle ups en downs. Ze moet nu eenmaal verder voor haar kinderen. Met of zonder Ben. Daar zal ze jouw warme vriendschap ook bij nodig hebben. Je bent een fantastische vriendin.'

Tessa dacht na over de woorden die André had uitgesproken. Een zacht windje streelde haar gloeiende wangen. Geen ontslag, had André gezegd. Het drong langzaam maar zeker tot haar door dat André haar snelle telefonische reactie in de Merkelbach-zaak erg waardeerde. Uiteindelijk had ze er niet voor gekozen Stefan in bescherming te nemen, maar hem onmiddellijk aan te geven bij de politie toen haar duidelijk werd dat Stefan ervandoor wilde gaan naar Argentinië. Nee, ze had er geen seconde aan getwijfeld of ze dat moest doen. Het recht moest zegevieren. Ze wilde immers met haar werk bijdragen aan het in stand houden van de veiligheid voor de burgers. De criminaliteit nam jaarlijks toe. Ze wilde helpen om die de kop in te drukken waar ze maar kon. En Ben Jongsma? Tja, ze had haar uiterste best gedaan voor Hanneke, maar ook voor Ben. 'Ik hoop zo dat je gelijk krijgt en dat Hanneke straks haar weg weer zal vinden,' zuchtte ze. 'Ik ben ook blij dat je me niet met ontslag stuurt. Deze week heb ik er heel erg over ingezeten. Ik zou het dagelijkse werk met Ernst erg missen, want we zijn als duo heel goed op elkaar ingespeeld.'

'Het doet me goed dat te horen, Tessa. Ernst is momenteel zijn draai ook een beetje kwijt, nu jij met ziekteverlof bent. Maar nu weet je nog niet welk belangrijk nieuws ik je zo graag wilde vertellen.'

Ze zag dat André haar gezicht observeerde en vroeg zich af wat er dan zo belangrijk kon zijn. 'Nee, dat weet ik inderdaad niet.' In gedachten zocht ze naar iets wat belangrijk genoeg was. Misschien had André intussen promotie gemaakt. Of misschien keerde hij binnenkort wel terug naar het korps in Den Haag, zoals ze eerder had gedacht. Tja, ze zou hem enorm missen. Ze besefte dat ze samen een bijzonder goede band hadden, die veel verder reikte dan alleen het werk. Daarom waren ze nu ook een dagje samen uit en zaten ze heel vertrouwelijk op dit bankje aan de boulevard. André was eigenlijk veel meer dan een aardige collega. Hij was op dit moment een onmisbare vriend.

André boog voorover en leunde met zijn ellebogen op zijn

knieën, zijn handen gevouwen. Hij wilde juist van wal steken, toen in Tessa's broekzak haar mobiele telefoon ging. Ze schrokken beiden van het deuntje en lachten.

'Een ogenblikje geduld, André. Misschien is het Hanneke,' verontschuldigde Tessa zich. Ze tuurde naar het venstertje van haar mobieltje en zag tot haar verbazing de naam 'thuis' verschijnen. Dat was moeder, die natuurlijk even wilde informeren naar haar welzijn. 'Hallo mam, met mij.' Tessa stond op van het bankje en liep een paar meter van André vandaan.

'Ik ben het, je vader,' hoorde ze vaders knorrige stem zeggen. Tessa schrok ervan. Vader belde nooit. Dat liet hij altijd aan moeder over. Zou er soms iets met moeder zijn?

'Pap, is alles goed met mam?'

'Je moeder? Natuurlijk is alles goed met haar. Ze loopt buiten met wasgoed te sjouwen. Ze is als altijd druk in de weer. Maar ik moet even met je praten, kind.'

Tessa fronste haar voorhoofd. Vader die zelf belde om met haar te praten? Dan moest er iets zijn waarover hij zich druk maakte. Dat kon niet anders. Ze luisterde verder.

'Het is namelijk zo dat ik me altijd zorgen maakte over je leven en je toekomst. Je weet dat ik je dolgraag met een boer in het huwelijksbootje zou zien stappen, maar dat wil jij blijkbaar niet. Ik heb er nog eens over nagedacht, Tessa. Van je moeder mag ik me nergens mee bemoeien, maar nu Bert de Jager een andere vriendin heeft, vind ik die chef van je, die gisteravond hier was, ook een goede partij. Mijn zegen heb je, kind. Heeft hij je trouwens het goede nieuws al verteld?'

Tessa was een moment met stomheid geslagen. 'Hoezo, pa? Ik... eh... Nee!' Er vloog een blos over haar wangen. Ze keek vanaf een afstand naar André. Hij leunde nog steeds met zijn ellebogen op zijn knieën en wachtte geduldig totdat ze klaar was met telefoneren. Wat had André haar ouders tijdens zijn bezoek gisteravond verteld? Ze herinnerde zich ineens weer dat moeder gezegd had dat ze hem een bijzonder aardige man vond.

'André Bontekoe houdt van je, kind. Dat heeft hij gisteravond hier aan tafel nadrukkelijk gezegd. Hij vroeg zich af of hij nog een kans maakte na je mislukte affaire met die criminele juwelier. Je moeder was er helemaal van in haar sas, en ik... Nou, ik vind het bij nader inzien ook wel een geschikte man voor je. Hij heeft het je toch zeker al wel verteld?'

'Ik bel straks terug, pap.' Tessa drukte haar telefoon resoluut uit, stopte die in haar zak en keek met een glimlach naar André.

Het belangrijke nieuws dat André haar wilde vertellen, had vader zojuist door de telefoon verklapt. In een flits herinnerde ze zich hun eerste ontmoeting weer. De bekeuring die ze hem voor zijn verkeersovertreding had gegeven. En niet lang daarna de ontdekking dat hij tijdelijk haar nieuwe teamchef en ook haar achterbuurman werd. De etentjes over en weer kwamen in haar gedachten, en natuurlijk het onverwachte verjaardagsontbijt. Zijn oprechte belangstelling in alles wat met haar leven te maken had, zoals de nare situatie waar ze met Hanneke doorheen ging. Hij was haar steeds direct tot steun geweest. Bij hem had ze altijd een luisterend oor gevonden, zelfs midden in de nacht. En deze man, André Bontekoe, hield van haar? Het ging een moment haar bevattingsvermogen te boven. Dat ze dat nu niet eerder had gezien.

Ze ging weer naast André zitten. Zijn ogen keken haar liefdevol aan. Ze wist nu al dat ze zijn gevoelens zou beantwoorden. Stefan Merkelbach was niet meer dan een domme vergissing geweest. Door hem was ze een tijdje afgedwaald. Hij had haar misleid en haar op een dwaalspoor gebracht, maar met André naast zich zou ze het rechte spoor weer volgen.

'Vertel me nu je belangrijke nieuwtje maar...' Tessa nam de zonnebril van haar neus, zodat hij haar goed in de ogen kon kijken. Ogen die glinsterden van hoop en vertrouwen in de toekomst.